LE FOOTBALL AMERICAIN

LE FOOTBALL AMERICAIN

LAURENT PLEGELATTE

Avec la collaboration de
MICHEL GOFMAN
cofondateur et ex-président
de la Fédération française de football américain,
ancien capitaine de défense du Spartacus de Paris.
Docteur DIDIER ROUSSEAU
médecin rhumatologue,
attaché à l'Institut national des sports
et de l'éducation physique,
médecin du Spartacus de Paris.
Étienne de MALGLAIVE
reporter photographe.

DENOËL

SOMMAIRE

1

UN PEU D'HISTOIRE

Origine, naissance,
premiers pas   14

2

NATURE GLOBALE DU JEU

Définition, déroulement
du jeu   22
Les joueurs   40

3

TECHNIQUES

Techniques communes
à l'attaque
et à la défense   56
Techniques offensives   58
Techniques défensives   71
Le jeu au pied   82

4

TACTIQUE

Transcription
et dénomination
des tactiques   86
Tactique offensive   100
Tactique défensive   133
Le jeu au pied   146

5

ENTRAÎNEMENT

La préparation   154
Autour du match   163

7

LES RÈGLES

Football universitaire   202
Les spécificités
du FA professionnel
aux U.S.A. :
le sport spectacle   215
Les règles
européennes   216
Organisation du FA   216
Les footballs proches   228

6

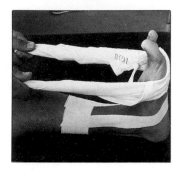

ASPECTS MÉDICAUX

Traumatologie
et prévention   172
Aspects
traumatologiques   176
Le dopage   195
Le problème
des jeunes   197

AVANT-PROPOS

Cet ouvrage est ambitieux. Il poursuit deux objectifs à la fois.

Le premier concerne tous ceux dont la curiosité a été éveillée par une rencontre occasionnelle avec le football américain, et qui, par-delà le chatoiement des tenues et la violence des contacts, désirent connaître la réelle nature de ce jeu spectaculaire mais complexe. Nous essayons d'apporter à ceux-ci les éléments leur permettant de s'intéresser au complet déroulement d'une partie, en en appréciant les différents enjeux, tant athlétiques que stratégiques.

Le second concerne ceux qui désirent s'initier à la pratique de ce sport, ou même contribuer à la création d'une équipe. Si rien ne remplace les compétences d'un pédagogue technicien sur le terrain, nous tentons pour le moins de fournir à ceux-là des informations techniques, tactiques, réglementaires et organisationnelles, ainsi que des informations sur la préparation physique et sur les principaux écueils traumatologiques, susceptibles de leur servir de repères et de guider leurs premiers pas.

Si la chance nous est donnée, en outre, de compléter la documentation de pratiquants confirmés, et surtout de communiquer à chacun de nos patients lecteurs ne serait-ce qu'un soupçon de la passion qui nous anime pour ce sport magnifique, alors nous n'aurons pas noirci tout ce papier pour rien.

ORIGINE, NAISSANCE, PREMIERS PAS

Les hommes sont joueurs. De tout temps ils pratiquèrent des jeux aux formes et aux significations les plus variées. Parmi ceux-ci, il en est qui présentent des caractères assez semblables pour permettre de les rassembler en une famille, celle des « jeux de bataille ». Qu'ils prolongent ou préparent la guerre ou qu'ils s'y substituent, ces jeux ont en commun d'offrir le cadre d'un affrontement collectif qui reproduit le schéma d'une « vraie » bataille : chaque armée, chaque équipe, dispose d'un territoire aux confins duquel se dresse son camp (ou sa citadelle), symbolisé par des buts (portail d'édifice, arbre, poteaux fichés en terre, etc.) ; il s'agit, pour chacun des groupes antagonistes, tout d'abord de s'assurer de la possession d'un objet (le ballon ou son équivalent) qui assume la fonction de projectile, puis, tout en conservant son contrôle, d'envahir le territoire de l'adversaire pour approcher et assiéger ses buts (sa forteresse), avant de les détruire symboliquement en les touchant ou en les traversant, à l'aide du projectile lancé à la main ou au pied. De l'« haspartum » des légions de la Rome antique au « hurling » anglais, en passant par le « tsu-chu » chinois (période de la dynastie des Han), les médiévales « soule » bretonne et « choule » picarde, et le très citadin « calcio » de la Florence puis de la Venise renaissantes, ces jeux de bataille prennent des aspects diversifiés, d'autant plus que les règles, toujours fort sommaires, ne sont pas écrites, et varient, pour un même jeu, à la même époque et dans la même région, au fil des rencontres et selon les circonstances : les équipes sont constituées, ici de quelques dizaines, là de plusieurs centaines de joueurs. Ces affrontements actualisent parfois des rivalités de villages, de quartiers, de corporations ou des rivalités sociales (rencontres maîtres-valets) ; les « ballons » sont variés, peaux de bêtes cousues et remplies d'herbe ou de son (soule), pelotes de cuir, vessies de porc gonflées d'air, pierres, têtes de mort (Scandinavie) ; les manières de faire avancer le projectile sont tout aussi variées, coups de pied, de poing, de tête, transport pur et simple (rare car surtout dangereux), ainsi que les formes de « contact » utilisables contre les adversaires (porteurs du « ballon » ou non). Les caractéristiques qui unifient ces jeux sont la violence et leur aspect dangereux. De nombreuses fois, au cours de l'histoire, des édits royaux en interdiront la pratique, sans succès d'ailleurs (en Angleterre aux XIVᵉ, XVᵉ et XVIᵉ siècles, en France plusieurs fois au cours de la Renaissance).

Au cours de leur évolution, nombre de jeux de bataille vont, en Europe occidentale, suivre la tendance qui consiste à privilégier le jeu au pied, surtout pour le marquage des points. Ce phénomène affecte principalement l'Angleterre, aussi ne faut-il pas s'étonner que l'on emploie le vocable anglais de « football », pour nommer l'ensemble des jeux de bataille qui, aux XVIIᵉ, XVIIIᵉ et surtout XIXᵉ siècles, utilisent

les coups de pied de manière prépondérante. De plus, après une nette récession de leur pratique populaire en Europe à la fin du XVIIIe siècle, c'est encore en Angleterre, dans le cadre des écoles et des collèges, que l'on observera une résurgence de ces footballs, au début du XIXe siècle. A cette période on assiste au début de la codification de ces jeux (les premières règles sont « écrites » en 1846), alors que les éducateurs anglais, en particulier sous l'influence de Thomas Arnold (clergyman enseignant à l'école de Rugby), les intègrent, comme des éléments très importants, à leurs méthodes pédagogiques.

C'est avec des contours évidemment très flous que le football avait traversé l'Atlantique dans les bagages des colons britanniques en route vers l'Amérique du Nord à la fin du XVIIe siècle. Il ne s'était pratiquement pas implanté dans les villages au cours des années qui présidèrent à la constitution des U.S.A. On peut penser que la vie difficile de cette période, où de réels affrontements armés et le défrichage des terres mobilisaient l'énergie des colons, était peu propice aux loisirs et aux jeux. Seules quelques rencontres désorganisées et sporadiques, entre villageois d'origine anglaise ou écossaise, peuvent être citées avant le début du XIXe siècle. C'est, en fait, le modèle du système éducatif anglais, reproduit par les universités et les grandes écoles américaines, qui donnera l'essor de la pratique des footballs aux U.S.A.

En effet ce sera durant la première moitié du XIXe siècle que les étudiants américains commenceront à s'adonner à des jeux collectifs issus de la « kicking tradition ». Ces jeux, aux règles diverses, où les coups de pied sont prépondérants (la main est utilisée plus pour stopper la balle que pour la transporter ou la propulser) ne sont à leurs débuts qu'à usage interne de chaque établissement. Il n'existe pas encore de rencontres inter-collégiales. Très durs, ils sont plus l'occasion d'affrontements entre les diverses promotions, ou même de brimades collectives organisées (bizutages...), qu'un élément moteur du processus éducatif : c'est ainsi qu'ils vont être interdits plusieurs fois aussi bien à Harvard qu'à Yale. Après quelques essais plus ou moins informels (« Princeton U. » contre Princeton T. Seminary » en 1867), *c'est, en fait, en 1869, qu'est organisé le premier match de football opposant deux grandes écoles, Rutgers et Princeton* : Rutgers, qui reçoit la première, impose ses règles, proches de celles du football gaélique d'aujourd'hui (la balle est propulsée à coups de pied aussi bien qu'à coups de poing vers le but dans lequel il faut la faire entrer), et gagne 6-4 ; quelque temps après, Princeton qui reçoit à son tour, organise la rencontre selon ses propres règles (on joue depuis 1820 à Princeton un jeu proche du « soccer » appelé « ballown »), et... gagne 8-0. La direction des écoles va interdire la « belle », mais les 25 joueurs par équipe qui se sont affrontés lors de ces deux rencontres, en se reconnaissant à

la seule couleur de leurs casquettes, ont lancé ce qui va devenir une puissante tradition : celle de ces affrontements footballistiques où tout joueur aura la fierté de lutter « corps et âme » pour l'honneur et le prestige de son école. L'élan est donné, mais le grand problème qui va se poser immédiatement est celui de l'unification du style et des règles de jeu devant présider aux rencontres. Deux styles importés d'Angleterre se disputent maintenant les faveurs des équipes : le style au pied et le « Rugby style ». Ce dernier existe depuis la légendaire course au cours de laquelle W. Webb Ellis prit le risque de porter la balle, un beau jour de 1823, au collège de Rugby.

Cette nouvelle méthode consiste à courir ballon à la main, et le fait de poser la balle derrière la ligne de but adverse (l'essai) donne, sinon des points, du moins le droit de tenter un coup de pied au but (la transformation). Princeton et Rutgers, rejoints par Yale et Columbia U. (New York), fondent en 1873 l'Intercollegiate Group qui se propose de jouer selon les règles du style « au pied » (« soccer style »), édictées par la jeune British Football Association. Pendant ce temps Harvard et Mc Gill (Montréal) jouent plusieurs rencontres selon le « Rugby style », ce, à l'initiative de Mc Gill ; puis, dans le cadre de débats passionnés où chacune des écoles défend « son » style, Harvard invite Yale à disputer une rencontre selon le style « Rugby » : Yale est conquise, comme le sont également les représentants de Princeton qui assistent à la rencontre. Finalement, en novembre 1877, Harvard, Yale, Princeton et Colombia U., fondent la Intercollegiate Football Association, qui adopte le « Rugby code » (transport de la balle à la main, forme ovoïde de la balle, 15 joueurs par équipe...) ; Rutgers s'est exclue de cette association. Dès lors, des rencontres vont avoir lieu de plus en plus régulièrement, et de nouvelles écoles et universités vont rejoindre progressivement l'IFA. A la lumière de ces rencontres, les représentants des établissements membres de l'association (réunion annuelle) vont amender les règles du « Rugby code » dans le souci constant de rendre le jeu tour à tour plus attrayant, plus sûr... Et, en une dizaine d'années, on va assister, en fait, à l'émergence d'un sport qui va se doter d'une forte originalité, au point qu'il faudra le distinguer rapidement du rugby, et l'appeler (partout ailleurs qu'aux U.S.A., où il reste le seul « football »), football américain (FA). Parmi les codificateurs du FA, il en est un, considéré d'ailleurs comme son « père » qui, œuvrant sans relâche tout au long de sa vie, influencera de façon déterminante la plupart des décisions, il s'agit de Walter Camp. Sportif polyvalent, il dispute, pour Yale contre Harvard, son premier match de football à 17 ans, en 1877, au poste de HB ; il jouera pour Yale pendant 6 ans, au cours desquels il deviendra capitaine de l'équipe, et, dès sa première année, représentant de son école aux réunions de l'IFA ; il se consacrera plus tard au « coaching » et à des tâches de théoricien du jeu.

Page ci-contre :
Jim Thorpe, footballeur indien, grande star des années 20.

17

Les quelques dates ci-après marquent des étapes importantes de l'évolution de la codification du jeu.

1879 : établissement d'une remise en jeu, entre chaque action, avec conservation de la possession du ballon par l'équipe à « l'attaque ».

1880 : réduction du nombre de joueurs à 11 ; établissement d'une ligne de « scrimmage », et de la mise en jeu par un « snap ».

1882 : après un célèbre match en 1881, entre Princeton et Yale, où chaque équipe garde, chacune une mi-temps, la balle sans marquer, la convention suivante décide, sur avis de W. Camp, en 1882 : l'instauration du système des « downs » ou tentatives, limités à 3 pour un gain minimum de 5 yards (le « contrat » sera porté à 3 « downs » pour 10 yards, en 1906, et à 4 « downs » pour 10 yards en 1912).

1883 : on accorde 2 points pour un essai (« touchdown ») qui, auparavant, ne donnait droit qu'à une tentative de coup de pied au but ; 4 points pour un but après essai (transformation) ; 5 points pour un coup de pied au but du champ de jeu (« field-goal ») ; 1 point pour un « safety ».

1888 : on légitime et commence à réglementer le blocage (bras collés au corps) ; on autorise les plaquages sous la ceinture (interdits dans les footballs originels, à prédominance de jeu au pied).

La légitimation des blocages va ouvrir une nouvelle ère, celle de la recherche tactique : on assiste à l'émergence d'entraîneurs « stratèges », qui vont se pencher sur la question de l'organisation collective de ces blocages, en vue de la progression du ballon sur le terrain : en 1892, F. Deland, de Harvard (il n'est pas footballeur, mais expert échiquéen), invente le « flying wedge » (littéralement : coin volant), qui sera ultérieurement amélioré par le « coach » Stagg, de Chicago : cette tactique, redoutable, permettait aux partenaires du porteur de balle de précéder celui-ci, accrochés les uns aux autres par les bras et lancés à pleine vitesse, pour s'enfoncer (comme un coin) dans la défense adverse ; de la compacité et de la mobilité de cette formation (allant jusqu'à entourer complètement le porteur de balle) résultèrent des affrontements très violents, générateurs de blessures graves et nombreuses. Il faudra de nombreuses années aux membres des conventions, pour se mettre d'accord sur des modifications et des précisions de règles permettant de mettre fin au massacre ; c'est à la suite d'une intervention personnelle du président Roosevelt, qui, en 1905, au terme d'une saison particulièrement meurtrière, menace d'interdire la pratique du football si des mesures de sécurité ne sont pas prises, que se réunit, en 1906, un comité extraordinaire des règles : ce comité a pour tâche de trouver des solutions pour, en fait, aérer le jeu, et ainsi, le rendre moins violent et moins dangereux.

1906 : temps de match réduit à 60 mn ; immobilité des LM, séparés par « une

longueur de ballon », avant le « snap » ; 3 « downs » pour 10 yards ; introduction de la passe avant (accompagnée de restrictions énormes : une passe incomplète donne une pénalité de 15 yards, la passe doit être avant et latérale...).

La première passe avant aurait été complétée par l'équipe de Saint Louis (QB B. Robinson au receveur J. Schneider), durant un match contre le Carroll College (Wis.), en septembre 1906 ; au cours de la saison qui suivit, le « coach » Ed. Cochems de Saint Louis U., inventeur du camp d'entraînement, amena son équipe à marquer 404 points (en en « encaissant » seulement 11) sans subir aucune défaite.

Pour « aider » les défenseurs, on interdira alors, enfin, aux attaquants de s'accrocher par les bras, mais un réel équilibre ne sera obtenu entre l'offensive et la défensive, dans le cadre d'un jeu plus ouvert, que par les règles de 1912, fondatrices du jeu moderne :

1912 : « contrat » offensif porté à 10 yards pour 4 « downs » ; « touchdown » à 6 points ; « libéralisation » de la passe avant.

Dès la saison de 1913, la passe avant cesse donc de n'être qu'une menace ponctuelle, pour devenir une partie intégrante du jeu, et conférer directement à celui-ci cet aspect spectaculaire qui, rapidement, va en faire le sport le plus prisé du public américain : les écoles conservatrices de l'Est résisteront encore quelque temps à ce modernisme technique et tactique, mais devant la poussée de « petits » collèges, tel celui de Notre-Dame battant 35-13 le « géant » West Point au cours d'un match historique en 1913 (grâce à la passe avant), toutes les équipes vont introduire progressivement dans leur arsenal tactique ce nouvel élément, qui va faire fleurir l'âge d'or du football universitaire. Un public énorme se presse aux matches, et le football devient une remarquable source de profit pour les écoles possédant de bonnes équipes. Ces écoles vont pouvoir, de ce fait, se doter de complexes sportifs prestigieux, de stades immenses, comme vers 1920 Yale, qui fit construire un stade pouvant accueillir 80 000 spectateurs. Les grands joueurs, comme l'Indien Jim Thorpe ou Harnold « Red » Grange, deviennent de véritables vedettes dont les exploits relèvent de l'épique. Les U.S.A. viennent de trouver leur sport national. C'est d'ailleurs l'irruption de certaines de ces vedettes dans le monde du football professionnel (qui végétait dans l'ombre du football universitaire depuis la fin du XIXᵉ siècle), qui va donner à ce dernier ses premières lettres de noblesse et, conjointement à l'organisation de grandes « tournées » au cours des années 20, l'impulsion au formidable développement que l'on sait : la première ligue « pro » est fondée en 1920, et les structures footballistiques vont prendre rapidement un visage proche de celui qu'elles présentent de nos jours (voir chapitre 7).

2

NATURE GLOBALE DU JEU

DÉFINITION
DÉROULEMENT DU JEU

UN SPORT DE COMBAT COLLECTIF EN FORME DE GAGNE-TERRAIN ▶

Le FA appartient (avec le rugby, le jeu à XIII...) à une famille de jeux collectifs, où la progression de l'équipe attaquante, matérialisée par le convoyage du ballon, a pour but la conquête du camp des adversaires jusqu'à l'envahissement de leurs derniers retranchements, nous avons cité leur « en-but ». La constitution et la reconstitution, au début de chaque action, d'une véritable « ligne de front » — en l'occurrence la « ligne de scrimmage », dont le déplacement sur le terrain témoigne de la réussite ou de l'échec des formations en présence — permet de parler du FA comme d'un jeu de « gagne-terrain » collectif ; le marquage d'un « essai » sanctionne le gain ultime du territoire adverse et non pas un geste technique précis et sophistiqué : en dehors de toute opposition, en effet, le fait de franchir une ligne balle à la main, ou même de réceptionner un ballon, ne peut se comparer en difficulté à celui de réussir un « panier à 3 points » au basket, ou un tir en pleine lucarne, décoché de 30 m lors d'un match de « soccer ».

De plus, l'affrontement physique, qui concerne l'ensemble des protagonistes d'une partie, détermine d'une manière prépondérante la circulation du ballon : nul « running back », si véloce et puissant soit-il, ne progressera régulièrement sans l'aide des brèches ouvertes par ses bloqueurs ; nul lanceur, si précis soit-il, ne délivrera de bonnes passes sans une protection efficace de sa ligne... Ainsi pourra-t-on, pour compléter sa définition, parler aussi du FA comme d'un réel sport de combat collectif.

CADRE SPATIAL ET TEMPOREL ▶

■ **Le terrain de jeu** obéit d'après la règle à des dimensions toujours identiques, contrairement au rugby ou au « soccer ». Des mesures variables déséquilibreraient le jeu, un peu comme si la hauteur du filet de tennis pouvait varier.

Il s'agit d'un champ rectangulaire de 120 yards (109,728 m) de long sur 160 pieds de large (48,768 m), quoi de plus simple.

A chaque extrémité se trouve une zone de 10 yards : *la zone d'en-but*. Elle est séparée du terrain par la ligne d'essai (ou plutôt la trace au sol du plan d'essai). Au fond, et non sur la ligne d'essai, se trouvent *les poteaux*, buts du jeu au pied.

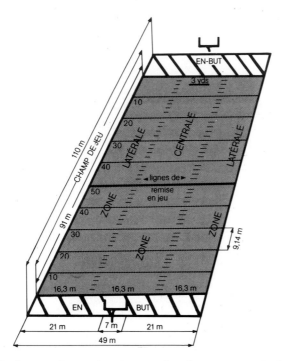

Ils ressemblent aux poteaux de rubgy par leur forme, cependant l'écartement des montants verticaux est de 23'4" soit 7,10 m, soit encore la largeur d'un but de football européen. Les zones de but sont souvent hachurées pour les rendre visibles en particulier aux receveurs de passes avant qui sont très tête en l'air, par nécessité, et les coins sont signalés par des balises de couleur vive, allant de la balise de chantier au piquet de slalom.

Le *champ de jeu* se situe entre les en-buts et mesure 300 pieds sur 160. Il est donc plus étroit qu'un terrain de rugby, ce qui rend les courses de débordement plus difficiles. Il est divisé par des lignes transversales de 10 yards en 10 yards, numérotées de chaque côté de 10 à 50, permettant de calculer instantanément la distance restant à franchir pour le « touchdown » ou le « field-goal », donnée essentielle des choix tactiques, de l'arbitrage et de l'appréciation des spectateurs. Longitudinalement, deux lignes (« inbound lines ») le partagent en trois parties égales (de 52'4", bien sûr). La bande centrale est la zone de remise en jeu : si la balle est morte dans les zones latérales, elle est recentrée sur la « inbound line » la plus proche, sinon elle reste en place. Deux petites lignes à 3 yards de chaque ligne de but sont les points de remise en jeu pour les transformations.

Enfin *les zones d'équipes* où doivent se tenir les remplaçants, les « coaches » et les soigneurs, sont matérialisées le long des touches entre les deux lignes de 30 yards.

En pratique et en Europe, on joue sur des terrains de football européen ou de rugby (mal vu). Pour « faire coller » les dimensions, on rogne les zones d'en-buts de 1 m environ et le champ de jeu de 10 yards au centre du terrain.

■ **Le ballon** est ovale, en cuir (sauf accord préalable sur une balle en caoutchouc), mais plus petit et plus léger (400 g) que le ballon de rugby : on doit pouvoir le tenir facilement d'une main, sa section transversale est celle d'un ballon de handball, donc sa vitesse lors d'un lancer efficace est la même. Le lacet de fermeture, autrefois nécessité par la technique de sellerie, aide encore à la saisie, et permet d'imprimer à la balle une rotation qui stabilise et allonge sa trajectoire par effet gyroscopique. Il peut porter des anneaux blancs qui le rendent plus visible.

■ **Les quart-temps, le chronométrage, le temps mort :** le jeu se déroule en une heure de temps réel de jeu. Il y a quatre *périodes* de 15 mn. A la fin des 1re et 3e périodes, les équipes changent de terrain, la balle et le compte des tentatives restent les mêmes. A la fin de la 2e période le repos est de 20 mn. La durée des périodes peut être réduite à 12 mn pour les juniors. Une période ne s'achève que lorsque la balle est morte au cours d'une action sans pénalité, donc aucun jeu ne peut être interrompu par le chronomètre.

Il n'y a pas de périodes fixes de prolongation. Si les équipes doivent absolument être départagées (« tie-break system »), en football universitaire, elles reçoivent la balle chacune à leur tour sur les 15 yards pour 4 tenus (*cf.* chapitre 7 : Les règles).

Tout ce qui impose une interruption du jeu arrête immédiatement la pendule : sortie en touche, faute, essai..., et peut donc être utilisé pour gagner du temps en fin de match. On peut parfois remonter tout le terrain en moins de 3 s. La tactique défensive, dans un tel cas, consistera à empêcher les attaquants de sortir en touche en se couvrant essentiellement contre les jeux très longs.

Entre chaque tenu, l'équipe d'attaque dispose de 25 s au plus pour remettre la balle en jeu après le signal « prêt » de l'arbitre. Si la pendule n'est pas arrêtée, ce temps est donc décompté.

En plus des arrêts de jeu décidés par l'arbitre (fautes, mesures, etc.), chaque équipe dispose de 3 temps morts de 1 mn 30 par mi-temps. Ils sont employés à « resserrer les boulons », mais surtout conservés pour la fin des 2e et 4e périodes : ils arrêtent la pendule et permettent donc en plus de gagner une trentaine de secondes à chaque fois, ce qui peut faire un essai de plus ou de moins avant l'interruption.

◄ LE DÉCOUPAGE EN « DOWNS », LES « HUDDLES »

Le FA, sport « inventé » encore moins naturel que les autres, a été voulu comme une virile illustration de la tactique et de la stratégie martiales. C'est pour cette raison et nulle autre que le jeu est découpé en tenus : il faut offrir aux deux camps le plus souvent possible un temps de regroupement, de ressourcement physique (grâce aux remplacements) et psychique (les conseils), pour se relancer à fond dans la prochaine bataille. Le scénario est alors à peu de chose près le suivant.

Le « down », tenu en français, commence dès que l'arbitre principal a déclaré la balle « prête à jouer ». L'attaque doit alors commencer dans les 25 s. A ce moment, l'équipe d'attaque est déjà regroupée en cercle serré autour du capitaine de terrain, très généralement le QB.

C'est le « huddle » ou conseil. De la touche sont arrivés en courant les remplaçants, renvoyant vers la touche les remplacés, et apportant au capitaine les éventuelles indications du coach. Chez les pros, ces indications sont transmises par signes gestuels (secrets et masqués) échangés entre le capitaine et les assistants du « coach ». Le capitaine commente rapidement la situation établie par le jeu précédent, fixe les objectifs, corrige les fautes détectées, puis indique le prochain jeu par son nom (cf. chapitre 4 : Tactique) avec d'éventuelles variantes, et enfin précise les « audible codes » qui lui permettent de changer le jeu prévu d'un mot codé (exemple : « Rouge 16 ») annoncé tout haut au dernier moment, par exemple pour exploiter une faiblesse qu'il a découverte (« lue » en jargon FA) dans la défense. Pas de temps à perdre donc.

Le jeu commence par le « snap » qui rend la *balle « vivante »*. La balle est vivante dès que le centre tire la balle vers l'arrière. Avant ce moment, toute l'équipe d'attaque a dû rester immobile une seconde (à l'exception d'un arrière mobile, voir « man in motion »). Les défenseurs peuvent bouger et même empiéter temporairement sur la ligne de « scrimmage », à condition de ne pas entrer en contact avec un attaquant et d'être de retour dans leur camp au moment du « snap ». Ils ne se privent généralement pas de s'agiter comme des diables. Ils peuvent ainsi désorienter les bloqueurs, mais les petits joueurs pensent surtout à provoquer un faux départ d'un attaquant (pénalité de 5 yards), au point parfois de rater eux-mêmes le départ de l'action.

Une *phase de progression* se déroule alors, généralement terminée par un plaquage ou une sortie en touche, parfois un coup de pied ou un point marqué ou encore une balle perdue récupérée ou une interception. Le coup de pied « punt » et l'interception sont suivis d'une action offensive de l'autre équipe. Dans les autres cas, l'arbitre déclare immédiatement la *balle morte*. Tant que la balle est vivante, elle est « au porteur » et malheur à qui la laisse échapper.

Les arbitres administrent ensuite avec célérité les éventuelles pénalités, malheureusement beaucoup plus fréquentes chez nous qu'aux U.S.A., signalent les décisions au public. Ils annoncent les points marqués ou mesurent la progression, recentrent la balle éventuellement (voir « inbound lines ») et ajustent les chaînes d'arpentage et l'indicateur de « downs ». Enfin l'arbitre principal annonce « prêt à jouer » et la ronde recommence.

LES ÉQUIPES EN PRÉSENCE ▶

La partie proprement dite oppose deux équipes formées chacune de plusieurs dizaines de joueurs dont 11 seulement participent simultanément au jeu : chaque équipe aligne en effet, tour à tour, selon les aléas de la rencontre, une formation spécifique offensive constituée de 11 joueurs titulaires (les « startings ») et de leurs remplaçants (les « substitutes »), une formation spécifique défensive constituée aussi de 11 joueurs titulaires et de leurs remplaçants, enfin diverses formations dites « spéciales », chargées de délivrer les différents coups de pied, ou de les « retourner » ; ces formations « spéciales », constituées bien sûr elles aussi de 11 joueurs, font appel à quelques éléments spécifiques (qui n'entrent sur le terrain que pour le jeu au pied), mais aussi à des joueurs puisés dans les formations « régulières », offensive ou défensive.

Il faut noter que les termes de titulaires et remplaçants, dans un sport où le nombre de remplaçants au cours d'une même partie n'est pas limité, ne recouvrent pas les mêmes notions que dans les sports collectifs européens classiques : l'en-

traîneur n'a pas à choisir, sur tel ou tel poste, tel joueur à l'exclusion de tel autre. Il peut, à tour de rôle, utiliser sur la même position plusieurs joueurs dont les qualités, différentes et complémentaires, vont servir l'efficacité de l'équipe selon la variété des tactiques choisies ; en outre, au cours d'un match qui dure en réalité plus de 3 heures, et pendant lequel les contacts sont durs et nombreux, il sera utile, en plus des changements de joueurs dus à d'éventuelles blessures, de pouvoir offrir des temps de récupération même aux « startings » les plus performants : ainsi, peut-être le vocable de rotation plus que celui de remplacements convient-il mieux aux relèves effectuées lors d'une partie de FA.

**◀ BUT DU JEU :
LE MARQUAGE DES POINTS**

Dans le cadre de ce fameux « gagne-terrain », les équipes, comme dans n'importe quel autre sport collectif, ne matérialiseront leur éventuelle domination territoriale en forme de victoire que grâce à l'inscription de points au tableau d'affichage ; avant que d'examiner les différentes façons de faire « avancer » le ballon, nous allons donc définir les objectifs de cette progression, c'est-à-dire les différentes concrétisations possibles en termes de score.

■■ **L'essai (« touchdown »)** est l'objectif n° 1 de toute poussée offensive :
— tout joueur, en possession du ballon, qui fait franchir à une partie quelconque de ce dernier le plan élevé perpendiculairement à la ligne de but adverse, et *a fortiori* qui pénètre carrément dans l'en-but avec la balle, marque un essai ;
— tout joueur, « éligible », qui reçoit et contrôle, c'est-à-dire « complète » une passe avant alors qu'il se trouve dans l'en-but, marque un essai (le terme anglais de « touchdown » témoigne de l'époque des débuts du jeu où, à l'instar du rugby, il fallait poser la balle au sol pour inscrire un essai).
L'essai vaut 6 points.

La transformation : l'équipe qui vient de réaliser un essai, dispose d'une tentative supplémentaire — la balle étant placée à 3 yards de la ligne de but adverse — pour tenter une transformation (« try for point » ou « extra-point »). Cette équipe peut choisir de « transformer à la main », réalisant, en fait, la même action que pour marquer un nouvel essai, grâce à une course ou une passe avant ; elle peut aussi choisir de « transformer au pied », en bottant la balle entre les poteaux, au-dessus de la barre transversale ; cette dernière action serait comparable à celle du rugby si la balle n'était pas bottée au cours d'une action de jeu collective de l'attaque face à une opposition complète de la défense (voir dans chapitre 4, paragraphe du jeu au pied).
En football *professionnel*, la transformation *vaut 1 point*, qu'elle soit réalisée à la main ou au pied. En football *universitaire et amateur*, la transformation *au pied vaut 1 point*, la transformation *à la main vaut 2 points*.

■ **Le coup de pied au but (ou « du champ », « field-goal ») :** si l'équipe attaquante se trouve, lors d'une 4ᵉ tentative, à portée de coup de pied des poteaux adverses (selon son « botteur », à 40, 50 yards ou plus), elle préférera au coup de pied de dégagement pur et simple (« punt ») le « field-goal » qui, donné dans les mêmes conditions que la transformation au pied, mais souvent de bien plus loin, peut permettre d'inscrire de précieux points, alors même que la course vers le « touchdown » a été enrayée.

Le coup de pied au but vaut 3 points.

■ **Le « safety » :** quand la formation défensive parvient à plaquer un attaquant en possession du ballon dans son propre en-but, alors que ce ballon a été introduit dans son en-but par la formation offensive elle-même, elle marque un « safety » (ce type de situation engendrerait une « mêlée à 5 » au rugby à XV). Ce dénouement d'une période, généralement de « grosse » pression défensive sur l'attaque adverse, est très prisé des défenseurs qui s'offrent là l'une des rares occasions de marquer eux-mêmes des points pour leur équipe (avec l'interception ou le blocage de coup de pied menés jusqu'au « touchdown »).

Le « safety » vaut 2 points.

LES TROIS TYPES DE ▶ PROGRESSION DU BALLON

On peut classer les moyens de progression vers le but adverse en trois catégories, selon que les joueurs portent la balle — jeu au sol —, lancent la balle — jeu aérien — ou enfin la frappent du pied — jeu de pied.

■ **Le jeu au sol :** transmission main à main et « pitch », course et passes arrière, les interceptions.

Ces jeux, moins spectaculaires sans doute, sont pourtant la base du football, et il est difficile à une équipe dominée au sol de gagner une partie. Dans la métaphore militaire qui colle au FA depuis ses origines, c'est la progression combinée de l'infanterie et de la cavalerie qui occupent le terrain devant elles.

Il y a peu d'échange de balle : les défenseurs sont généralement infiltrés, donc la balle pourrait être subtilisée, terminant sans espoir ni rémission un « drive » (série de tenus) qui aurait pu mener à l'essai.

Pour *les courses au centre*, la balle est donnée *de la main à la main (« hand-off »)* par le QB au joueur qui effectue la course, après diverses feintes. Dans les *jeux larges de débordement*, le QB *lance directement la balle (« pitch »)* à l'arrière qui effectuera la course. Enfin, plus rarement, le centre peut faire un *« snap long » (« shotgun »)* vers un arrière ou vers le QB reculé, mais il s'agit d'une feinte de passe plutôt que d'un jeu de course de base. Il existe aussi des jeux type rugby, avec des enchaînements de passes arrière, mais ce sont tous des jeux « surprise » risque-tout,

réservés aux situations désespérées. En résumé, le plus souvent la balle va simplement du centre au QB et de celui-ci à l'arrière qui effectuera la percée.

La *course proprement* dite s'effectue en trois phases. La balle doit être prise en pleine vitesse par l'arrière. Une fois qu'il la tient, dans un nouveau coup de reins, il « prend son trou », se lance dans la brèche ouverte par ses bloqueurs. Dans cette phase, il est totalement abrité et il accélère encore. Une fois dans le trou, il est au contact de la défense, mais en général un ou deux bloqueurs le précèdent encore, et il s'abrite derrière eux.

Puis, quand son dernier bloqueur est accroché par la défense, il se trouve seul et essaie soit par des crochets, soit par un passage en force de gagner le plus possible de centimètres avant d'être plaqué. Un joueur est considéré comme plaqué quand il a plus que les deux pieds et une main en contact avec le sol. Un genou au sol, et c'est fini. Si le porteur de balle est debout dans un paquet, mais ne peut progresser, il est considéré comme plaqué.

La prochaine ligne de départ sera du point de progression maximal de la balle vers l'avant : si la percussion du plaquage ou la mêlée ouverte font reculer le coureur, ce recul n'est pas pris en compte. Bien entendu une balle lâchée (« fumble ») ou une course tactique vers l'arrière sont des cas particuliers. La sortie en touche volontaire est autorisée. Le joueur en touche ne doit pas être touché, et la balle est recentrée sur la ligne de sortie en touche.

Pour quelques pouces de plus.

La balle vivante appartient aux deux équipes et peut donc être *interceptée* au vol ou après avoir roulé à terre.

Dans le premier cas les défenseurs deviennent *ipso facto* des attaquants et effectuent une tentative de course improvisée, les plaqueurs devenant bloqueurs et réciproquement. On imagine que la polyvalence des joueurs est alors appréciée. Ces retours de flamme sont dangereux si les attaquants ne savent pas se regrouper immédiatement et improviser une défense ou simplement s'ils ont négligé l'entraînement au plaquage.

Si la balle est lâchée et roule à terre dans un jeu de course, elle peut seulement être récupérée par le premier joueur qui s'en saisit et qui la gagne ainsi pour son équipe. Il ne peut pas la faire progresser, du moins selon les règles universitaires, et en contrepartie ne doit pas être plaqué. Si c'est l'équipe d'attaque qui recouvre, elle garde la balle et on passe au tenu suivant depuis cet endroit. Si l'autre équipe a conquis le ballon, c'est un premier tenu à cet endroit. C'est un des cas de *changement de possession (« turnover »* en anglo-américain), très pénalisant pour l'équipe d'attaque.

■ **Le jeu aérien :** ces jeux font le sel du football, ils sont spectaculaires et procurent de longs gains de terrain en très peu de temps. Mais il faut toujours garder à l'esprit qu'une passe avant est d'autant plus efficace qu'elle est moins attendue, et que la menace d'une percée au sol plane à chaque jeu. Dans les années récentes, les Miami Dolphins n'ont jamais gagné le championnat, malgré un QB aux passes phénoménalement rapides, inattendues et efficaces, Dan Marino. Dans l'interprétation martiale, ce sont les troupes aéroportées qui établissent la tête de pont derrière les lignes.

La passe avant est un peu le « joker » du FA. Les receveurs essaient de se démarquer, les bloqueurs protègent le passeur. La passe doit partir de derrière la ligne d'engagement et ne jamais l'avoir franchie. Pour être valable (« complete pass »), elle doit être contrôlée nettement par le receveur (en pratique pendant 1 s) avant de toucher le sol. Si la réception est bonne, le jeu continue et le receveur essaie de progresser, sinon on repart de la ligne d'engagement et un tenu est décompté aux attaquants.

Mais si la réception correcte est effectuée par un défenseur, la balle appartient à la défense, qui contre-attaque immédiatement. Ce type d'interception est le plus fréquent. Toute passe avant est une sorte de roulette russe pour le QB, qui ne peut compter que sur le démarquage de ses receveurs, obtenu par des courses de diversion compliquées, et sur la vitesse de la balle sur sa trajectoire, c'est-à-dire la force de son propre bras.

![image]

■■ Le jeu au pied, les retours : on distingue trois jeux au pied : les coups de pied tactiques ou « punts », les coups de pied au but/transformations, et les coups de pied d'engagement.

Les *coups de pied tactiques de dégagement ou « punt »* ne sont pas des coups de pied à suivre, comme au rugby : l'équipe qui botte donne la balle à l'adversaire, en échange d'un long gain sur le terrain. Évidemment, ce jeu n'est employé que si la progression au sol ou par passes avant n'est plus envisageable, la plupart du temps au 4ᵉ tenu lorsqu'il y a 2 yards ou plus à franchir et que l'on est encore loin de la ligne adverse. Le coup de pied tactique est tapé très loin : 50 à 70 m, et surtout très haut, pour permettre aux bloqueurs d'être à la réception.

Sous la protection de ses « linemen » et de ses RB, le QB 17 se prépare à lancer.

31

Le retour est possible pour l'équipe en réception, mais il est risqué : si la balle s'arrête sans avoir été touchée ou si elle est touchée par un attaquant, elle change de propriétaire à cet endroit. La défense, si elle ne fait rien, gagne donc automatiquement la balle en échange du terrain perdu. Mais elle peut aussi tenter un retour : un joueur désigné à l'avance saisit la balle, si possible au vol, et remonte le terrain sous la protection de ses partenaires. Attention alors aux dégâts car les attaquants sont en pleine course et un « fumble » n'est pas impossible sur un plaquage « dur ».

Les coups de pied au but ou « field-goal » servent à marquer des points, si un « touchdown » n'est pas possible. Si le coup de pied est manqué, la balle est aux défenseurs sur la ligne d'engagement précédente ou à leurs 20 yards s'ils y ont avantage. S'il passe, il ajoute 3 points. Il est tenté sous la forme d'un coup de pied placé (le « drop goal » est autorisé mais jamais employé à cause de la forme de la balle). C'est un tenu comme les autres, avec un « snap » long qui parvient dans les mains du placeur, qui présente le ballon sur un support au botteur. La balle doit passer entre les poteaux. 55 yards est un record de distance pour un coup de pied au but. Sauf interception, il n'y a pas de retour sur un coup de pied au but. Une transformation (au pied) est un jeu de « field-goal » depuis la ligne des 3 yards, après un essai. Il rapporte 1 point.

Les coups de pied d'engagement ou « kick-off » ont lieu au début des deux mi-temps, et après les marquages de points. Ils ressemblent aux coups de pied tactiques, mais la mise en jeu ne se fait pas par un « snap ». Ils sont frappés de la ligne des 40 yards de l'équipe qui engage (sauf après « safety » : 20 yards), et leur forme est libre. En général, la balle est posée au sol. Les joueurs qui engagent doivent être derrière leur botteur. Celui-ci frappe haut et vise les coins aux abords de la ligne adverse, sans sortir en touche ou au-delà de la ligne. A l'inverse du « punt » les défenseurs doivent effectuer un retour, car les botteurs peuvent récupérer la balle. Du reste on pratique parfois des coups de pied courts (minimum 10 yards) pour surprendre la défense et essayer de récupérer la balle, c'est le dangereux « own side kick », qui peut aussi donner la balle à la défense au 50 yards, s'il rate.

LA GRANDE ORIGINALITÉ ▶ DU FA : LE BLOCAGE

Plus encore que la passe avant, que l'on retrouve dans presque tous les sports collectifs, excepté le jeu à XV et à XIII, plus encore que dans les remplacements non limités (que l'on retrouve dans le hockey sur glace...), plus même que dans le découpage en « tentatives » (comparable au découpage en « tenus » du XIII), la grande spécificité du FA réside dans le fait qu'au cours d'une action de jeu tous

les partenaires du porteur de ballon peuvent (et doivent) protéger son action ou favoriser sa progression en effectuant, sur leurs adversaires défenseurs, des percussions et contrôles (sans saisies), appelés « blocages » ou « blocks » en anglais, et qui seraient considérés et sanctionnés comme des obstructions dans la plupart des autres sports collectifs. Ces blocages qui, exception faite de ceux dits « de protection de passe », ont pour objet de « frayer la voie » du porteur de balle, de « déblayer le terrain » des obstacles se dressant sur la route de l'en-but adverse, sont délivrés avec puissance, agressivité ; ils sont souvent violents mais, en tout cas, toujours rigoureusement réglementés : les coups de poing, coude, pied ainsi que les saisies sont prohibés ; on peut bloquer avec les épaules, les avant-bras, la grille de protection du visage, les flancs et, dans le cas de la protection du passeur, avec les mains. Ces blocages, réalisés dans de nombreuses situations de jeu différentes qui déterminent des angles d'« attaque » différents, des rythmes d'approche et de préparation différents, sont techniquement complexes et variés ; ils nécessitent, ainsi que les conduites d'« évitements » des défenseurs pour s'en dégager, un long apprentissage où, comme dans tous les sports de combat, le travail des « appuis » est prépondérant : nous sommes loin du « tout le monde plaque tout le monde » et de la pure bestialité dont des ignorants ont parfois voulu faire sommairement la caractéristique majeure du FA. En outre, pour être réellement efficaces, les blocages de l'ensemble de la formation offensive doivent être orientés collectivement en fonction du trajet potentiel du porteur de ballon : on comprend aisément que si ce porteur tente de contourner la défense par la droite, il aura besoin de blocages orientés à l'opposé de ceux qu'il lui faudrait s'il tentait de le faire par la gauche.

Le 20 porte le ballon, ses partenaires 60 et 75 lui ouvrent la voie.

Le choix tactique de la direction de la « charge », ballon en main, ainsi que celui des modalités de l'organisation collective des blocages destinés à favoriser celle-ci, sont donc faits par l'entraîneur ou le capitaine d'équipe, puis annoncés aux 11 attaquants au cours d'un bref conciliabule, le « huddle », qui précède chaque « down », chaque action ; en fait, ce choix fait référence à un ensemble de tactiques consignées à l'aide de diagrammes (*cf.* chapitre 4) dans un « cahier de jeux », dont le contenu, conservé secret par chaque équipe, élaboré et amélioré sans cesse par les « coaches », est assimilé à l'entraînement, au prix de répétitions collectives inlassables, précédées de longues séances de tableau noir.

Chaque tactique, chaque « jeu », pour reprendre le jargon footballistique, répond à un nom de code ; l'ensemble du code, mis sur pied en fonction du système de jeu de l'équipe, constitue un langage tactique, commun aux coéquipiers et particulier à chaque club.

L'opportunié, la vigueur, mais surtout la cohésion et la coordination des blocages sont déterminantes dans la réussite d'une tentative offensive ; en FA, chaque phase de jeu, si brève soit-elle, met en action l'ensemble des joueurs présents sur le terrain, et cette action n'est efficace que si elle est rigoureusement organisée autour d'un projet commun : le FA est, soit dit sans emphase, le sport le plus collectif du monde.

L'ÉQUIPEMENT ▶

L'image profonde la plus courante du FA, pour les jeunes bien sûr, mais aussi pour les adultes, est certainement liée à l'équipement de protection des joueurs. Il les rend impressionnants et suggère d'épouvantables dangers dont ils chercheraient ainsi à se protéger tels des chevaliers du XIIe siècle, bardés de fer et se précipitant bestialement les uns sur les autres.

Le cliché est aussi faux pour le FA que pour les tournois et même la guerre du Moyen Age, mais la comparaison pourrait être juste ! Pourquoi y a-t-il des protections au FA, qui sont absentes du rugby, sport « viril » s'il en est et même du jeu à XIII, plus sec encore ?

La question en tout cas n'est pas de savoir s'il est plus « dur » de jouer à l'un ou l'autre de ces jeux : au FA comme au rugby, on peut accepter ou refuser la confrontation la plus frontale avec l'adversaire, ou au contraire la rechercher comme un plaisir, et les protections, qui ne sont pas du reste totalement absentes des autres sports, font aussi monter les enchères au cours des contacts. Alors...

Le FA a commencé pratiquement sans protections. Il était cependant conçu comme une simulation de combat plutôt que comme un jeu physique entre garçons d'une même école et d'une même société. Il a de plus visé l'efficacité maximale, sans

trop s'encombrer de l'éthique sportive anglaise, alambiquée, voire hypocrite selon certains, et qui régit toujours le ballon ovale.

Pour que l'obstruction des attaquants, le blocage, qui est le geste fondamental du FA, soit le plus efficace possible, et après quelques expériences négatives de traumatismes crâniens, de clavicules cassées et de luxations d'épaule, les renforts de maillot du rugby sont devenus de véritables coquilles rembourrées. Parallèlement les défenseurs ont pu se renforcer. Dans les formes primitives du jeu comme le « wedge » ou coin, les attaquants prenaient leur élan sur une dizaine de mètres, en retrait de la ligne d'avantage, sur des trajectoires convergentes, pour tenter de s'enfoncer comme un coin dans la défense, la tête en avant comme un bélier. On imagine le résultat en termes médicaux.

Progressivement ces protections d'épaule se mirent à causer des blessures à la tête lors de blocages et de plaquages. On adopta un casque de cuir souple entre les deux guerres, puis, les blessures à la face subsistant, on expérimenta des masques de cuir, sans succès, et l'on passa bientôt au casque dur, comme aujourd'hui, presque immédiatement pourvu d'une barre de protection faciale, devenue aujourd'hui une grille.

Ainsi c'est la plus grande liberté morale des Américains, et leur facilité à modifier les règles de leur sport qui ont conduit à développer des protections. Et de même au Moyen Age était-il totalement impensable d'occire un adversaire noble dans un tournoi, à la guerre cela passait même pour un assassinat, cela n'empêchait pas ces braves gens de se férir à grands coups d'épée et de se pointer à grands coups de lance : ils avaient des protections efficaces.

Mais dans les chevaleries médiévales, et pas seulement celle du nord de l'Europe au XIIe siècle, le renforcement des protections, passives par essence, nuisait à la mobilité des adversaires, les rendant totalement vulnérables à des armes nouvelles comme les flèches ou les épées modernes ou encore les balles de mousquet. Le FA n'échappe pas à ce dilemme, et l'équipement de protection est soigneusement adapté à la fonctionnalité de chaque poste, et réduit cas par cas au minimum nécessaire, autrement dit à l'indispensable.

Il existe des joueurs protégés au minimum légal : les botteurs qui n'entrent que pour leur coup de pied. Ils doivent toutefois porter les protections légales : casque, épaulière, protections de hanche, de coccyx, de cuisse, de genou et protège-dents. Celles-ci sont allégées au minimum.

Hormis ceux-ci, nous allons décrire trois joueurs types, auxquels peuvent se rattacher tous les autres : le receveur, le coureur et l'homme de ligne. Pour éviter les redites, la description détaillée de chaque protection citée sera faite globalement ensuite.

De gauche à droite : un « running back », un receveur et un « lineman » s'équipent.

Le receveur a besoin de toute sa vitesse et de toutes ses facultés de crochetage et d'esquive, avant tout. Il doit aussi avoir un champ de vision large et garder la mobilité des épaules pour attraper la balle. Il opère avec un matériel très léger, casque à grille sommaire, épaulières légères et hautes, articulées souplement aux épaules. Parfois des gants (surtout par grand froid), pas de protection de bras ou de jambe et parfois des coudières. La protection contre les plaquages est sacrifiée ainsi que l'efficacité dans le blocage. Se rattachent au receveur : le quarter-back, les corner-backs qui sont les opposants directs des receveurs.

Le coureur a pour objectif de pénétrer en esquivant et en percutant, le plus loin possible dans la défense. Il reçoit la balle au départ dans des conditions faciles et effectue une course plus simple que le receveur. Il a besoin de moins de mobilité des épaules, mais d'un renforcement contre les plaquages de plusieurs défenseurs, qui achèvent chacune de ses actions. Sa grille de casque est plus serrée pour éviter les pénétrations de doigts intentionnelles ou non. Son épaulière est plus enveloppante et plus lourde. Les plaques pectorales descendent plus bas. Les protections légales de hanche, destinées à prévenir les blessures sur coups de casque seront plus épaisses, et il portera parfois des protections de côtes. Un boudin de mousse sur la nuque prévient le « coup du lapin ». Il portera presque toujours des gants, pour éviter les blessures aux mains entre le ballon et les grilles de casque et souvent des protections d'avant-bras. Très souvent, il porte des coudières. Se rattachent au coureur les arrières défensifs, les « linebackers » et le « tight end ».

Le bloqueur est le plus statique, même si tous ne le sont pas au même titre. Le poids de l'équipement n'est pas trop handicapant. En revanche, il passe la totalité de son temps en percussion sur les adversaires qui le lui rendent bien. De plus, dans la mêlée, les arbitres ne voient pas tout, et certains entraîneurs à l'éthique floue passent au moins autant de temps à apprendre aux joueurs les « coups tordus » que les techniques de base. En conséquence les épaulières sont très enveloppantes et descendent jusqu'au diaphragme qu'elles couvrent, avec des plaques pectorales très larges. La protection de nuque portée par certains coureurs est utilisée systématiquement. La protection la plus spécifique est celle des coudes, des avant-bras et des mains. Pour les bloqueurs offensifs, qui n'ont pas le droit de saisir, les doigts sont bandés comme chez un boxeur et des gants rembourrés les couvrent. Les défenseurs se contentent de gants. Des protège-tibias classiques sont souvent portés sous les chaussettes. Se rattachent au bloqueur la première ligne de défense (« down linemen »).

Nous allons maintenant examiner toutes les pièces utilisées couramment depuis celles qui sont en contact avec la peau jusqu'à celles qui sont visibles.

■■■ **Les renforcements articulaires ou « strapping »** sont utilisés systématiquement et contribuent grandement à réduire la traumatologie. Ils sont décrits dans le chapitre 6 : Aspects médicaux.

■■■ **Les protections obligatoires de hanche et de coccyx** sont constituées de plaques de mousse dense à cellules fermées incluses dans un film plastique qui assure le glissement. Ces plaques sont glissées dans les poches d'une gaine en tissu élastique, pour assurer leur bon positionnement malgré les mouvements frénétiques du joueur.

■■■ **La coquille** n'est pas portée par tous les joueurs, dans la mesure où les positions au contact, en blocage comme en placage ne favorisent pas les coups volontaires ou non dans la région pelvienne.

■■■ **Les protections de cuisse et de genou** sont glissées dans des poches cousues sur le pantalon collant et élastique et restent donc également en place. Elles sont constituées d'une lame de plastique fermée enrobée de mousse dense et recouverte d'un film plastique. Les protections de genou protègent contre les percussions mais aussi retirent l'appréhension des blessures à la rotule sur les blocages et les plaquages effectués à l'horizontale. Les protections de cuisse couvrent les quadriceps contre les coups d'épaulière et de casque lors des contacts.

■■■ **Les épaulières** sont formées de deux plaques allant de chaque côté du corps de l'omoplate au pectoral, avec des longueurs variables selon le poste et le modèle, et de deux coques couvrant les deltoïdes, également plus ou moins enveloppantes. Ces plaques sont articulées par des bandes de tissu nylon. Un lacet sternal permet de faire un réglage fin sur le devant. L'épaulière est recouverte

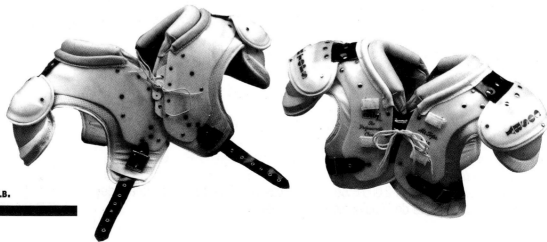

Une épaulière de LB.

intérieurement de mousse et le tour de cou est protégé par un bourrelet de cuir. Des bretelles réglables passant sous les bras la maintiennent en place. L'épaulière est très ajustée et même parfois taillée sur mesure. C'est autant une arme offensive que défensive, qui autorise des percussions spectaculaires.

■■■ **Les protections de côtes** sont constituées d'un corset de lames de plastiques enrobées. Elles sont maintenues par des sangles et des bretelles et se portent sous les épaulières.

■■■ **Le casque,** symbole même du FA, est une coque de polycarbonate épousant au plus près la forme de la tête et dégageant la vision. Il est garni intérieurement de coussins absorbants utilisant de la mousse généralement associée à un fluide, qui peut être de l'air ou de l'eau, enfermé dans des poches indépendantes. Le casque est maintenu par une jugulaire fixée par quatre pressions et calculée pour sauter lors des chocs trop violents et ainsi éviter les contraintes sur les vertèbres cervicales, la blessure la plus grave (fractures, paraplégies ou mort), mais aussi la plus rare du FA. Il est muni d'une grille constituée d'un alliage d'acier coulé et enrobé de plastique, montée sur le casque par des attaches souples, destinées à absorber les chocs. Il faut éviter les effets de levier de la grille sur le casque. Le casque est autant que possible aéré. C'est un instrument de protection et non d'attaque. Les coups de casques sont dangereux autant que celui qui les porte que pour celui qui en est victime et sont sévèrement sanctionnés par la règle (au minimum un recul de 15 yards).

■■■ **Le protège-dents** est obligatoire. Il est en plastique moulé à chaud sur les dents du joueur et se fixe à la grille par une lanière qui évite de l'avaler ou de le perdre.

■■■ **Les chaussures** sont généralement plus souples que les chaussures de rugby. Les crampons vissés ou métalliques sont prohibés, seuls les crampons moulés ont droit de cité. Sur les terrains secs ou artificiels les multicrampons sont généralisés.

■■■ **Les protections optionnelles :** coudières, protections d'avant-bras, gants, sont de types extrêmement variables et ne sont pas caractéristiques du FA. En France, pour des raisons évidentes de coût, les protections de handball, football..., sont souvent détournées.

Dans cet impressionnant catalogue, quel est l'ensemble minimal pour un joueur débutant et quel est le budget correspondant ?

Il faut impérativement un casque, une épaulière polyvalente, des protections de hanche et un pantalon avec les protections de genou et de cuisse. Le prix varie de 3 500 F pour du neuf à 2 000 F pour de l'occasion, et sa durée de vie est de 10 ans. Le reste relève de l'équipement sportif standard.

En haut : le « rembourrage » d'un casque moderne.
Ci-dessus : grilles de visage :
- 1. de receveur,
- 2. de RB ou LB,
- 3. de LM.

L E S   J O U E U R S

Nous allons faire connaissance avec les joueurs. Il nous faudra donc énoncer la nomenclature des postes, définir les fonctions de chaque joueur affecté à chacun de ces postes, et présenter les qualités essentielles requises pour satisfaire, en principe, à la bonne réalisation des conduites réclamées par ces fonctions, qualités tant morphologiques et athlétiques, que psychomotrices et simplement psychologiques.

Avant de passer en revue les forces sur le terrain, il nous faut y positionner les joueurs, attaquants contre défenseurs : parmi les centaines de formations offensives et défensives possibles (dont nous étudierons les catégories les plus significatives dans le chapitre 4), nous avons retenu conjointement comme exemple la formation offensive et la formation défensive les plus polyvalentes tactiquement et techniquement. Elles offrent le cadre dans lequel chaque joueur va tenir son rôle de la façon la plus classique, la plus habituelle ; ces deux formations sont, bien sûr, très utilisées en match, tant aux U.S.A. qu'en Europe : il s'agit de

— l'« open set » ou formation ouverte en attaque (3 receveurs de passe avant potentiels et 2 porteurs de ballon)

— la « 4-3 » en défense (4 hommes de ligne, 3 « linebackers »). *Cf.* croquis page ci-contre.

N.B. Si l'on considère la répartition des joueurs offensifs par rapport à un axe virtuel de symétrie passant entre les jambes du C et du QB, on constate qu'il reste un joueur de plus sur la droite de la Formation (en l'occurrence le FLB) : on dira que le côté droit est le « côté fort » (« strong side ») ; la défense équilibre ce surnombre en plaçant un joueur de plus sur l'aile correspondante, le « joueur de sécurité du côté fort » (« strong safety » SS).

Les exigences énormes du jeu sur le plan physique (introduisant la règle des remplacements illimités), la grande variété des actes moteurs qu'il requiert, autant que sa profonde complexité tactique, ont amené le FA à se doter d'une division du travail poussée à l'extrême, au point de déterminer une de ses particularités majeures : la spécialisation attaquant/défenseur. S'il est nocif et ridicule de se spécialiser au stade de l'initiation et de la première formation (quel attaquant ou quel défenseur sera efficace en match s'il ne connaît pas réellement, pour les avoir travaillées, vécues, les armes techniques, tactiques, de la formation à laquelle il

Page ci-contre : « une formation ouverte », côté fort droit, contre une « 4-3 » défensive.

est confronté), il est vrai qu'un joueur, au niveau de la compétition, ne donnera souvent sa pleine mesure qu'en approfondissant longuement la maîtrise d'un poste vers lequel l'auront conduit ses aptitudes de départ et ses goûts.

Précis, organisé, réfléchi, attiré par l'abstraction des plans tactiques, apte au labeur répétitif de l'apprentissage et de la mise au point des « jeux », doué pour les comédies de la feinte, un pratiquant se tournera certainement du côté de l'attaque, alors qu'un autre, plus impulsif, agressif, « intuitif » à déjouer et actif à détruire les édifications tactiques adverses, ira s'exprimer en défense. Mais gardons-nous des caricatures réductrices, sans aptitude à l'assimilation théorique et sans combativité on ne « fera » pas plus un défenseur qu'un attaquant.

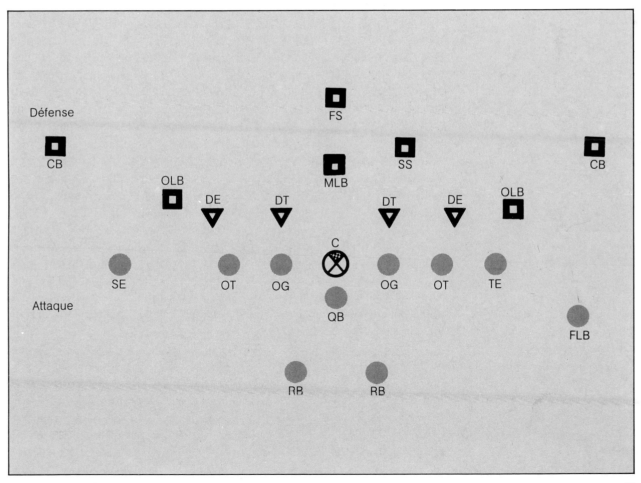

LES ATTAQUANTS

HOMMES DE LIGNE ►
« INTÉRIEURS » :
C, OG (2), OT (2)

Ce sont les « hommes forts » de l'attaque. Bien que, sauf le C, ils ne touchent pratiquement jamais le ballon, leur activité est déterminante dans la progression de leur équipe. Ce sont eux, principalement, qui frayent la voie des porteurs de ballon, par leurs blocages, lors des « jeux au sol ».

Lors des « jeux aériens », ils protègent le lanceur (généralement le QB), de la ruée adverse : de leur efficacité va dépendre le temps dont vont disposer, d'une part, les « receveurs » pour se démarquer, d'autre part, le QB pour bien « planter » les appuis qui lui permettront de lancer avec sérénité et précision.

■ **c = center = centre :** c'est le joueur qui tient le ballon, au sol, lors de l'alignement frontal des deux équipes, préliminaire à chaque phase de jeu classique. Au signal prévu dans le « huddle », il transmet ce ballon, soit directement « main à main » (« snap »), entre ses jambes, au QB, soit en le lançant (aussi, généralement, entre ses jambes, « snap long » ou « shot gun ») au QB ou à un autre joueur du champ arrière (RB, « kicker »...) ; la balle à peine transmise, l'action a démarré et le voici donc tenu de réaliser le blocage prévu dans le cadre de la tactique choisie. « Donner » un « bon ballon » à son équipe et simultanément « encaisser » la charge violente des défenseurs, c'est une double tâche ardue mais indispensable au bon déroulement même d'une tentative offensive. Courage, lucidité, adresse, solidité, stabilité, sont les qualités essentielles d'un joueur qu'on ne peut considérer que comme une pièce maîtresse sur le terrain. On ne conseillera jamais assez aux jeunes équipes (françaises en particulier, qui l'oublient trop souvent) de faire un effort particulier dans le choix et la formation de leurs centres. Standard américain pro : 1,90 m — 120 kg.

■ **og = offensive guard = garde offensif :** positionnés de part et d'autre du centre, les deux gardes sont les hommes mobiles de la ligne « intérieure » : outre les responsabilités inérantes aux 5 joueurs de celle-ci, ils ont généralement celle de « décrocher », lors des courses de débordement, pour favoriser la progression des RB par des blocages en terrain « ouvert » (voir croquis page ci-contre). La vitesse de déplacement (ils sont souvent les moins lourds des 5 LM), la maîtrise des blocages en pleine course, l'aptitude à « lire » rapidement les ajustements du « champ arrière » défensif, seront des qualités déterminantes donc pour le choix des OG. Standard américain pro : 1,95 m — 110-115 kg.

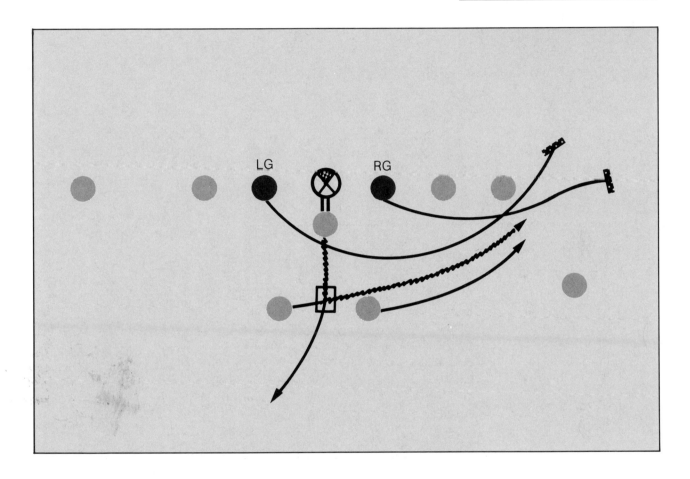

OT = offensive tackle = bloqueur offensif : positionnés de part et d'autre des gardes, les bloqueurs offensifs sont « les hommes forts » des « hommes forts » : points d'ancrage (avec le centre) de la ligne d'attaque, rempart contre le « rush » adverse lors du « décrochement » des gardes, « bloqueurs clés » lors des courses les plus fréquentes sur l'extérieur du « paquet » (« off-tackle »), protection majeure du QB lors des jeux de passe avant (ils sont alors directement opposés aux « saqueurs » les plus dangereux : les DE), leurs qualités essentielles seront la vivacité de réaction et la précision des appuis dans un champ de jeu restreint mais encombré, la stabilité (poids) et surtout la puissance avec une dimension force importante.

Standard américain pro : 1,95-2 m — 120-130 kg.

Le garde gauche (LG) et le garde droit (RG) « décrochent » pour protéger la course du RB.

HOMMES DE LIGNE ▶
« EXTÉRIEURS »,
LES AILIERS : TE, SE

Receveurs potentiels de passes avant, par excellence, SE et TE accomplissent, en fait, des tâches différentes et complémentaires.

■ TE = **tight end = ailier rapproché :** aligné à l'extérieur immédiat du bloqueur (droit ou gauche selon la formation choisie), le TE se doit d'être un des joueurs les plus « complets » de l'équipe : son poste va l'amener, en effet, aussi bien à tenter d'ouvrir des « trous » dans la défense adverse par des blocages identiques à ceux des OT ou des OG, lors des jeux « au sol », qu'à réaliser lui-même des courses et des réceptions de balle lors des jeux de passe avant (surtout sur des passes courtes ou mi-longues). Il va donc réunir, chose rare, des qualités aussi variées que la haute taille, la puissance et le poids, la vitesse et l'adresse. Standard américain pro : 1,95-2 m — 105-115 kg.

■ SE = **split end = ailier écarté (ou éloigné) :** aligné à l'extérieur du bloqueur, assez loin de lui (5 à 10 yards, en général), le SE a la responsabilité (avec le FLB) de la réception des passes avant mi-longues et surtout longues et très longues (les fameuses « bombes » de 50 à 70-80 yards), qui, spectaculaires exploits très prisés des spectateurs, peuvent faire basculer en quelques secondes le score d'une partie âprement disputée. Moins impliqué que les autres joueurs dans le jeu au sol, il lui faudra quand même posséder la technique du blocage qu'il aura à utiliser de manière parfois décisive dans des jeux « spéciaux » (« reverses », débordements du côté « faible »...) ; outre des aptitudes à la « comédie », qu'il mettra en valeur lors des feintes caractéristiques de son poste, la tonicité et la souplesse musculaires qui lui permettront d'encaisser les plaquages violents des défenseurs dont il est la cible privilégiée, les qualités de prédilection du SE seront la grande vitesse (des sprinters comme Bob Hayes ont fait d'excellents SE), l'adresse manuelle et la faculté à se concentrer sur le ballon, en faisant abstraction de l'imminence du choc avec la défense, jusqu'à l'accomplissement de la réception du ballon — les Américains disent d'un bon receveur qu'« il n'a pas d'oreilles ». Il n'y a pas de standard rigide de gabarit pour ce qui concerne les SE : on peut trouver à ce poste aussi bien des basketteurs rapides que des petits « gabarits » exceptionnellement véloces et adroits.

LES « ARRIÈRES » ▶
OFFENSIFS
(OFFENSIVE BACKS)

Positionnés effectivement en arrière de leur « ligne », au départ de l'action, les OB ont à partager, avec les deux ailiers, les tâches de maniement, échange et transport du ballon.

■■■ **RB = running back = porteur de ballon :** les RB (traduction littérale : « arrières courant » sous-entendu « avec le ballon ») sont chargés, principalement, du transport de la balle lors des jeux « au sol ». Après avoir reçu cette balle des mains du QB, la plupart du temps derrière la ligne de « scrimmage », ils tenteront, en utilisant les blocages de leurs coéquipiers, d'éviter les plaquages des défenseurs et de s'enfoncer le plus profondément possible dans le camp adverse.

Mise en action explosive, vitesse pure, habileté des appuis, seront, avec la compacité au « contact » et le courage, leurs atouts principaux. Une bonne adresse manuelle sera aussi requise, car ils sont souvent utilisés comme receveurs « accessoires » pour des jeux de passes avant courtes (outre les passes latérales et arrière, « pitch out », qu'ils sont amenés à réceptionner régulièrement). Il leur faudra, enfin, de solides qualités de « bloqueur », tant pour prêter main-forte aux OL lors des jeux au sol, quand ils ne sont pas chargés de la balle, que pour contribuer à la protection du QB lors des jeux de passes avant.

N.B. Très souvent, les 2 RB traditionnels se voient en fait affectés aux fonctions spécialisées de FB = full back = arrière et de HB = half back = demi.

— Le FB sera principalement sollicité pour les charges « rudes » en plein cœur de la défense, les « plongeons » au ras du centre. La puissance et, on peut le dire, le goût du contact, seront des caractéristiques de ce poste.

Standard américain pro : 1,85-1,90 m — 105-110 kg.

— Le HB, essentiellement chargé de convoyer la balle lors des jeux « larges » de débordement, aura comme armes favorites la vélocité et une vitesse de pointe élevée.

Standard américain pro : 1,80-1,85 m — 90 kg.

■■■ **FLB = flanker back = arrière de flanc :** positionné à 1 yard et demi derrière la « ligne », 4 ou 5 yards à l'extérieur du TE, le FLB, à l'instar de ce dernier, remplit deux grandes fonctions. Sa fonction majeure, surtout en FA de haut niveau, est celle de receveur potentiel de passes avant, avec des caractéristiques comparables à celles du SE. Pour cette raison on appelle souvent ces deux joueurs, des WR (« wide receivers », littéralement « receveurs déployés », destinés à effectuer des « tracés » de grande amplitude). Son autre fonction est celle de porteur de ballon complémentaire ; il est parfois amené, en effet, surtout sur des jeux « particuliers » comme les jeux renversés (« reverses »), ou les « contres », à convoyer la balle comme un RB. Ses qualités devront donc être celles requises à la fois, par les positions de WR et de RB; celles, donc, d'un athlète complet.

Standard américain pro : 1,90 m — 90-95 kg.

■ QB = **quarter back** = **quart arrière :** positionné juste derrière la « ligne » (d'où son nom), généralement au contact du C qui, à son signal, déclenche l'action en lui transmettant le ballon, le « fameux » QB, capitaine de la formation offensive, est le distributeur du jeu. En fonction de la tactique choisie et des réactions défensives, il pourra tenir différentes conduites : faire parvenir la balle à un RB par une remise main à main ou une passe latérale/arrière ; déclencher une passe avant, plus ou moins longue, en direction d'un receveur ; conserver la balle pour courir lui-même en direction des buts adverses.

Tout d'abord, c'est donc les capacités de lanceur au « bon bras », puissant et précis, que l'on évoquera, en énumérant les qualités essentielles d'un QB. Une bonne mobilité, bien sûr, sera souvent le facteur déterminant de la réalisation correcte de sa tâche en lui permettant non seulement l'esquive des charges « ennemies », mais aussi les délicates passes avant en déplacement, et les courses avec la balle. Mais ce sont surtout ses qualités psychologiques et sa compréhension du jeu qui détermineront sa réelle efficacité. Ses aptitudes de « meneur d'hommes », passant par la connaissance précise des forces et des faiblesses de chacun de ses coéquipiers, lui permettront de tirer le meilleur de ceux-ci en obtenant leur adhésion à ses décisions tactiques. Le sang-froid lui permettra, d'une part, de pallier les éventuelles maladresses (« fumbles » par exemple), ou les erreurs tactiques de ses partenaires en improvisant des comportements de substitution (courir à la place d'un RB qui est parti « à l'envers »...), d'autre part, d'attendre calmement le démarquage d'un de ses receveurs pour lui lancer la balle, au beau milieu des combats furieux que mènent ses OLM contre les DLM qui ne pensent qu'à le « saquer » durement. Enfin, une connaissance approfondie du jeu lui sera un outil indispensable pour analyser, « lire », les formations défensives adverses et tenter d'utiliser leurs failles, en allant parfois jusqu'à changer le choix tactique du « huddle », au dernier moment, en prévenant ses partenaires grâce à un code d'urgence (code « audible »), juste avant le « snap ». La palette des gabarits est assez large pour ce qui concerne les QB, ceux-là déterminant souvent le style de jeu de ceux-ci, QB plutôt « lanceur » ou plutôt « coureur »... Une bonne taille (bonne vision du jeu), si elle ne handicape pas la mobilité, est intéressante.

LES DÉFENSEURS

Directement opposés aux « hommes forts » de l'attaque, ce sont les « hommes forts » de la défense. Leurs deux tâches essentielles sont, d'une part, d'étouffer « dans l'œuf » les attaques « au sol » en stoppant sur la « ligne » les RB après avoir évité les blocages des OLM adverses, d'autre part, lors des tentatives de passes avant des attaquants, d'empêcher la réalisation de celles-ci en traversant le rideau de protection du QB et en le plaquant derrière sa ligne, avant même qu'il n'ait pu déclencher son lancer (« sack » du QB).

■■■ **DT = defensive tackle = bloqueur défensif :** positionnés en face des OG, ce sont souvent les plus gros gabarits d'une équipe : en effet, confrontés en général à 2 OLM, ils ont pour rôle de « boucher » les trous que tentent d'ouvrir ceux-ci de part et d'autre du centre pour favoriser des courses « éclairs » de RB en puissance. Ils doivent, en outre, exercer une pression physique permanente sur le centre pour tenter de lui faire commettre des maladresses lors des « snaps ». (Dans d'autres formations défensives, « 34 » ou « 52 » par exemple, un joueur, ayant le même rôle qu'un DT, mais positionné en face du centre, tel un « nez » de la défense, prend le nom de NT ou NG : « nose tacle » ou « nose guard ».) Standard américain pro : 2 m — 130-140 kg.

■■■ **DE = defensive end = ailier défensif :** positionnés un peu à l'extérieur des OT, les DE, grands (pour contrer les passes des QB), mobiles, sont normalement les principaux responsables des « sacks » de QB, ayant plus de « champ » pour charger ou contourner la ligne d'attaque. La pression psychologique qu'ils exercent sur le QB parfois déterminante dans ses échecs sera proportionnelle à leur agressivité, facteur prépondérant de réussite au poste de DE. Standard américain pro : 2 m — 115-125 kg.

◄ DEFENSIVE LINEMEN
HOMMES DE LIGNE
DE DÉFENSE (DT — DE)

◄ L'« ARRIÈRE-LIGNE »
DÉFENSIVE :
LES LINEBACKERS (MLB, OLB)

Nous éviterons la traduction québécoise de « secondeurs défensifs » par crainte d'une confusion possible avec le terme de « secondary » employé souvent aux U.S.A. pour nommer un joueur du « backfield » défensif (voir page 50).
Les « linebackers », donc, positionnés légèrement en retrait des DLM, sont les « polyvalents » de la défense, les défenseurs à tout faire, au bon sens du terme. En effet, ils auront aussi bien à prêter main-forte à leur « ligne » contre les jeux au sol « dans le paquet », qu'à se porter comme premiers plaqueurs au contact de l'adversaire lors des courses de débordement ; ils joueront un rôle essentiel dans le marquage des receveurs lors des jeux de passes avant courtes et mi-longues ;

ils seront même parfois chargés de « sacks » de QB à l'occasion de charges surprises (« blitz »).

Il leur faut donc être très mobiles (poursuite des receveurs), adroits (interceptions) et, évidemment, rudes plaqueurs. Il leur faut la puissance de résister aux violents et fréquents blocages dont ils sont les objets privilégiés.

Mais, à l'instar des QB (le capitaine de la défense est presque toujours un LB), seule une réelle maîtrise tactique et stratégique du jeu leur permettra d'utiliser efficacement ces qualités athlétiques et techniques. Cette maîtrise signifiera essentiellement pour eux la capacité de « lire », d'interpréter très rapidement les signes, les « clefs », fournis involontairement par les attaquants lors du déclenchement de chaque action, et susceptibles de les renseigner sur la tactique choisie par ces attaquants ; cette maîtrise devra leur éviter le désagrément de se faire « embarquer » loin de l'action par les feintes et les divers renversements de jeu ; elle leur permettra, parfois, avec l'expérience et le culot, des « anticipations » spectaculaires et dévastastrices.

■ **OLB = outside linebacker = linebacker extérieur :** sollicité principalement contre les courses de débordement et les passes extérieures « à plat » ou « avant » courtes, l'OLB est le défenseur « clef » contre les jeux très latéralisés. Il a la grosse responsabilité de percevoir très vite la nature du jeu (aérien ou « au sol ») afin de réagir par le déplacement approprié, il avance pour plaquer en cas de jeu au sol, il recule généralement pour marquer un receveur en cas de jeu aérien. Ses erreurs ont toujours des conséquences graves. C'est pourquoi certains joueurs combatifs, rapides, bons plaqueurs, font d'exécrables OLB quand ils se montrent incapables de maîtriser leur agressivité et leur tendance à foncer systématiquement « au charbon ».

Standard américain pro : 1,90 m — 95-105 kg.

Anges bleus contre Rams Amsterdam.

Le 40 du Spartacus « cravaté » par un Challengers.
« Linebacker » en « position » d'attente.

■ **MLB** = **middle linebacker** = **linebacker du milieu :** dans certaines formations défensives comme la « 44 » ou la « 34 », il n'y a pas de MLB, mais deux ILB = inside LB ou LB intérieur, jouant le même rôle.

Face au centre, près de la formation adverse, mais non collé à celle-ci comme un DT, le MLB occupe une position idéale pour l'observation des préparatifs de l'attaque et des premiers mouvements de celle-ci. C'est donc lui, le plus souvent, qui va lancer les ultimes consignes tactiques en tant que capitaine de l'unité défensive juste avant le démarrage des « hostilités » ou au moment de celui-ci. En outre, sa situation géographique centrale va avoir pour conséquence de le mobiliser pratiquement sur chaque action. Ses capacités à assurer tant la permanence de son intervention physique (endurance, résistance), qu'à maintenir sa lucidité tactique, seront des facteurs décisifs de la réussite de sa formation et de l'équipe tout entière.

Standard américain pro : 1,95 m — 105-115 kg.

DEFENSIVE BACKS : DB ►
LES ARRIÈRES DÉFENSIFS
(CB, SS, FS)

Positionnés « en profondeur », constituant ainsi le « defensive backfield » ou « champ arrière défensif », ultime rempart de leur formation, les DB, qui sont au contact de l'adversaire d'une façon moins permanente que les DLM ou les LB, ont la tâche souvent ingrate de protéger leur camp contre les tentatives de « gain long » de l'offensive : courses de débordement ayant échappé aux deux premiers rideaux et passes avant longues ou très longues (les fameuses « bombes »). Leurs erreurs, telles celles du « gardien » au « soccer » ou celles du « n° 15 » au rugby, seront sanctionnées souvent par des points au profit de l'attaque adverse, assez souvent, en tout cas pour que leur faculté de vigilance continue au jeu, malgré leur éloignement relatif de l'épicentre de celui-ci, soit considérée comme un atout indispensable de leur efficacité. Tant pour venir collaborer à la défense « au sol », en partant de loin, que pour suivre, comme « leurs ombres », les véloces « wide receivers », il leur faudra avant tout être très rapides et habiles de leurs appuis. Souvent plus légers, moins puissants (sauf le SS), que les RB qu'ils auront à stopper et *a fortiori* que les bloqueurs qui viendront les charger, il leur faudra compenser ce handicap par une grande mobilité/fluidité, une maîtrise sans faille du plaquage « percutant », une énorme combativité.

Page ci-contre : **l'attaque (à gauche en sombre) en « formation ouverte », côté fort droit, contre la « 4-3 » défensive.**

■ **CB** = **cornerback** = **arrière de coin (« demi-défensif » au Québec) :** positionnés de part et d'autre du terrain, légèrement à l'extérieur de leur vis-à-vis WR (SE ou FLB), les deux CB contribuent à la défense contre les courses

de débordement essentiellement, et sont responsables de la « couverture » des receveurs sur les longues passes avant latérales. A l'instar des OLB, une des difficultés de leur tâche va consister à faire le bon choix de l'attitude « anti-passe » ou « anti-course » sans perte de temps.
Standard américain pro : 1,80-1,85 m — 80-90 kg.

■■■ **ss = strong safety = sécurité du côté « fort » :** positionné près des LB, en face de l'aile offensive possédant un joueur de plus que l'autre, et appelée « strong side » ou « côté fort » (voir croquis en tête de chapitre), le « strong safety » qui ainsi équilibre en nombre l'opposition des forces par rapport à l'axe perpendiculaire à la ligne de scrimmage passant par le ballon avant le « snap », joue pratiquement, dans le jeu moderne, le rôle d'un ILB un peu reculé. Il participe d'une façon souvent prépondérante à la « couverture » du TE, lors des jeux « aériens ».
Standard américain pro : 1,90 m — 95 kg.

■ **FS** = **free safety** = **sécurité libre :** positionné le plus en retrait, dans l'axe de la balle, c'est l'homme de la dernière chance défensive, l'ultime obstacle, dans la course vers l'en-but, à l'attaquant qui a échappé aux 10 autres défenseurs. Il n'a donc pas de « droit à l'erreur » et doit trouver la patience d'observer quelques secondes le début du déroulement de l'offensive adverse avant de se précipiter — ayant « lu » les feintes éventuelles — à coup sûr, vers le cœur de l'action ; il arrivera fréquemment au contact de l'adversaire alors que le « travail » sera déjà fait, le porteur de ballon déjà plaqué ; mais cette frustration fait partie intégrante de son poste ; elle sera compensée, en principe, par les quelques actions spectaculaires, décisives, qu'il aura à accomplir en cours de partie pour préserver son en-but (plaquages « lancés » par une longue poursuite, interceptions de longues passes avant dangereuses...). Sa règle d'or sera de n'avoir jamais de receveur potentiel dans son « dos », entre lui et sa « end zone » : ses armes maîtresses : le calme et la vitesse.
Standard américain pro : 1,80-1,90 m — 80-90 kg.

LES UNITÉS SPÉCIALES

Avant de conclure ce chapitre descriptif des postes de jeu, il nous faut en évoquer qui n'apparaissent pas dans les formations évoquées ci-dessus : en effet, à côté des unités offensives et défensives, utilisées au cours des phases de jeu « réguliè-res », chaque équipe possède des unités dites « spéciales », chargées de donner les différents coups de pied ou de défendre contre ceux-ci (c'est-à-dire souvent « recevoir » ceux-ci), et dont l'activité est examinée en détail au chapitre 5. Au sein de ces unités spéciales, nous retiendrons deux catégories de joueurs aux tâches bien particulières : les botteurs et les retourneurs.

■ **K** = **kicker** = **botteur :** au meilleur niveau professionnel, les « kickers », hyper spécialisés, se verront affectés soit au coup de pied d'engagement (« kick-off »), soit à celui de dégagement (« punt »), soit au coup de pied au but, en fonction de leur aptitude à frapper loin, haut, et avec précision une balle, qui peut être présentée sur un support (« tee »), posée au sol par un partenaire ou enfin tenue en main. Plus que les autres, évidemment, les botteurs de coups de pied au but seront sélectionnés sur leur précision : certaines équipes vont jusqu'à posséder un spécialiste des tentatives courtes, et un des longues. Bottant la balle, à l'exclusion de toute autre intervention dans le jeu, ces joueurs n'ont pas de contrainte de gabarit : ils ne participent que quelques secondes à l'action, au cours d'une partie. Leur intervention pouvant être décisive, du sang-froid et une grande

capacité de concentration sont requis ; leurs « statistiques » de réalisation té-moignent d'une impressionnante efficacité.

Au niveau universitaire et amateur, la moins grande perfection technique et, surtout, l'aspect moins systématique du jeu, vont amener parfois les « kickers » et « pun-ters » à réaliser des actions de substitution au coup de pied (passes avant, courses avec la balle...) ou des actions complémentaires au coup de pied (plaqua-ges) ; leur profil sera donc plus polyvalent que celui des « machines à botter » dont nous venons de parler ; très souvent, d'ailleurs, ils occupent aussi un poste en attaque ou en défense.

■■ **Kick-off and punt returners = retourneurs des coups de pied d'engagement ou de dégagement :** joueurs clefs de l'équipe qui « reçoit » le ballon, les retourneurs, au nombre de 1 ou 2, positionnés en profondeur derrière leurs partenaires, au moment du « botté », sont chargés d'attraper la balle au vol et de s'enfoncer le plus loin possible dans le camp adverse, aidés par les blocages de leurs coéquipiers. Outre l'adresse et la vitesse (ce sont souvent des RB ou des WR), et une indiscutable faculté d'« encaisseur », leur qualité primordiale sera le courage : il en faut beaucoup, en effet, pour affronter une meute déferlante de plaqueurs lancés « à fond » par 30 ou 40 m de course.

Un kick-off des Anges bleus.

3
TECHNIQUES

TECHNIQUES COMMUNES A L'ATTAQUE ET A LA DÉFENSE

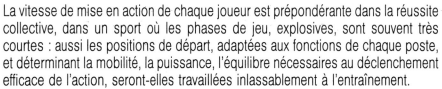

LES POSITIONS DE DÉPART ▶

La vitesse de mise en action de chaque joueur est prépondérante dans la réussite collective, dans un sport où les phases de jeu, explosives, sont souvent très courtes : aussi les positions de départ, adaptées aux fonctions de chaque poste, et déterminant la mobilité, la puissance, l'équilibre nécessaires au déclenchement efficace de l'action, seront-elles travaillées inlassablement à l'entraînement.

■ **La position à 3 points d'appui :** attitude de base du joueur de FA, cette position doit être connue de tous les pratiquants.

Elle doit déterminer une mise en action rapide, imprévisible pour les adversaires, facile dans toutes les directions.

Elle doit permettre une vision correcte du champ de jeu. Cette position sera utilisée principalement par les OLM, les RB, certains DLM, certains joueurs des unités spéciales.

Description (pour un droitier) : recherche d'un trépied solide.

— Les 2 premiers appuis, les pieds, parallèles, sont écartés à la largeur des épaules.

— Léger décalage des pieds (nous étudierons une exception plus loin pour les DE) dans l'axe avant-arrière, variable selon la morphologie et la souplesse du joueur (recherche de la stabilité et du confort).

— Les jambes sont fléchies, les genoux à la verticale des avant-pieds.

— Comme troisième appui, le bras, correspondant au pied reculé, s'étend directement sous l'épaule, en ligne avec le pied et le genou, et prend contact avec le sol, à la perpendiculaire du visage, par l'intermédiaire de l'extrémité des doigts ou des jointures phalanges-phalangines (plus sûr).

— Les hanches, le dos, les épaules et la tête s'ordonnent en un plan parallèle au sol.

— Les épaules sont parallèles à la ligne de scrimmage.

— Le regard est dirigé vers l'avant.

— L'avant-bras du segment libre est placé, relâché, sur la cuisse correspondante.

— Le poids, réparti habituellement entre les trois appuis, pourra, dans certains

cas, être déplacé vers l'avant ou l'arrière, à condition que le joueur puisse effectuer cette répartition particulière sans trahir son intention de déplacement.

N.B. Dans le cas de joueurs s'apprêtant à charger directement, par exemple le QB (« pass-rush ») — les DE notamment —, on utilise souvent une « position 3 points » évoquant celle (à 4 points d'appui) que prennent les sprinters au commandement « prêt » : pieds très décalés, bassin très haut, important déséquilibre avant.

Remarque sur le travail d'assimilation : la décomposition du placement en plusieurs phases, d'une part, la recherche du confort et de la stabilité, d'autre part, seront des éléments importants de l'assimilation de la mise en « position » correcte. Toutefois, ce qui nous semble fondamental, c'est de relier toujours le travail de la position à ce qui doit être sa finalité, c'est-à-dire : la réalisation de déplacements, blocages...

■ **La position à 4 points d'appui :** plus spécialisée que celle à 3 points, cette position favorise les charges puissantes vers l'avant. Elle sera utilisée principalement par les DLM et, parfois, par les OLM à la recherche d'un blocage pour un gain de terrain sûr, mais court.

Description :
— Pieds parallèles, écartés à la largeur des épaules, légèrement décalés dans l'axe avant-arrière ou au même niveau.
— Jambes semi-fléchies.
— Les deux mains au sol, légèrement en avant de chaque épaule, très légèrement à l'intérieur de l'axe pied-genou.
— Dos parallèle au sol, tête relevée, regard vers l'avant.

N.B. Le poids du corps, normalement réparti entre les 4 appuis, est souvent déplacé franchement vers l'avant ; attention à préserver l'équilibre.

Page ci-contre : « position » à 3 points d'appui.
Ci-contre : « position » à 4 points d'appui.

Les positions à 2 points d'appui : les joueurs qui ne sont pas concernés par le premier choc des lignes, adopteront des positions leur permettant, certes, de se mettre en action rapidement, mais surtout de pouvoir scruter le jeu. Plus redressés, sans appui manuel au sol, ils nuanceront leur positionnement en fonction de leur rôle sur le terrain.

— Les WR : pieds parallèles, écartés à la largeur du bassin et nettement décalés, jambes légèrement fléchies, bras relâchés, disponibles.

N.B. Attention aux petits pas « de nervosité » pendant le « compte du QB » (interdits par le règlement) et aux pas d'hésitation ou de recul, au démarrage.

— DB et 2e RB dans les formations en « I » : pieds écartés à la largeur des épaules, légèrement décalés, jambes légèrement fléchies, mains sur les genoux (voir photo ci-contre).

— LB et DB en position avancée : pieds parallèles, écartés à la largeur des épaules, jambes semi-fléchies, mains devant le buste, prêtes à encaisser le choc d'un blocage (voir photos p. 59).

TECHNIQUES OFFENSIVES

LES BLOCAGES

Le football n'est pas un sport de contact. La danse est un sport de contact. Le football est un sport de collision (Vince Lombardi).

Qu'il serve à ouvrir le chemin au porteur de ballon ou à protéger le lanceur, le blocage est, en toutes circonstances, l'arme de prédilection de l'attaquant (ou du défenseur devenu attaquant par suite d'une interception) ; son apprentissage constitue le fondement du travail technique de tout pratiquant.

Les formes techniques répertoriées de blocage sont fort nombreuses ; elles présentent, en outre, de nombreuses variantes adaptées aux différents styles de jeu et aux gabarits relatifs des joueurs mis en présence : nous allons donc nous efforcer de dégager celles qui nous semblent les plus importantes pour les présenter en corrélation avec les situations collectives dans lesquelles elles sont le plus fréquemment mises en œuvre.

Page ci-contre :
1. « Shoulder block ».
2. « Drive block ».
3. Le dangereux « roll block ».
4. « Team blocking ».
5. Blocage de protection du passeur.
6. Aspect collectif du précédent.

TECHNIQUES
INDIVIDUELLES

■■■ La base : blocage de front (« drive block ») et blocage d'épaule (« shoulder block ») : ces deux blocages, qui se différencient par les parties du corps et de l'équipement utilisées pour la « collision », sont employés pour écarter un défenseur de la route d'un porteur de balle ; ils présentent de nombreux points communs.

L'objectif *fondamental est de développer une action continue reliant une percussion violente de l'adversaire à un contrôle de celui-ci avec maintien du contact, permettant de « l'emmener » le plus loin possible du trajet du ballon.*

Ces deux « blocks » peuvent se délivrer à partir d'une position « 3 points » sur la ligne de scrimmage, ou d'une course en plein champ.

Dans les deux cas, l'approche ultime de l'« objectif » se fera sur des appuis fléchis et écartés à la largeur des épaules (stabilité).

La percussion de l'adversaire sera déclenchée par une poussée des jambes, hanches en avant, évitant un déséquilibre avant incontrôlable : ne pas se « coucher » sur le défenseur. Cette poussée sera transmise par un dos « placé » (à plat), dans un plan réalisant un angle très fermé avec le sol, et tendra à « remonter » l'adversaire au moment du contact pour le déséquilibrer. L'impact sera donné :

— dans le cas du blocage frontal, par une percussion conjointe de la grille de protection du visage, frappant le « numéro » du défenseur, et des deux avant-bras, armés près du corps pendant l'approche, parallèles au sol, coudes en dehors, poings fermés, frappant juste sous l'épaulière.

— dans le cas du blocage d'épaule, par une percussion de l'épaule située du côté vers lequel on veut éloigner l'adversaire, aidée par l'avant-bras du même côté, la tête étant placée en opposition entre celui-ci et le porteur de ballon.

La phase, essentielle, du contrôle, sera réalisée efficacement, grâce à l'établissement d'une assise solide au sol (appuis écartés — vaste polygone de sustentation), et grâce à une poussée très active et continue des jambes, concrétisée par des foulées extrêmement courtes à *fréquence très élevée.*

■■■ Les blocages par le travers du corps (« cross-body blocking ») : ces blocages, utilisés pour barrer la route à un adversaire lancé en le « fauchant » souvent, servent, en fait, soit à atteindre un défenseur hors de portée d'un « drive block » ou « shoulder block », soit à compenser un handicap de gabarit, celui, par exemple, d'un HB « s'attaquant » à un DLM. Il est possible de les effectuer à différentes hauteurs du corps adverse ; ils sont réalisés fréquemment très bas (genoux) et constituent alors une arme redoutable, trop dangereuse à notre avis, et d'ailleurs illégale dans de trop rares cas.

La forme la plus simple s'effectue en jetant son corps en travers de celui de

l'adversaire, en prenant une position quadrupédique allongée si l'on choisit de réaliser un blocage bas (« scramble block »).

Une forme particulière, le « roll block », s'effectue, comme son nom l'indique, en réalisant un « tonneau » dans les jambes de l'adversaire, l'impact initial étant donné par l'épaule du bloqueur contre la cuisse « extérieure » du défenseur.

TECHNIQUES COLLECTIVES DE BLOCAGE ; CIRCULATION DE BLOQUEURS ▶

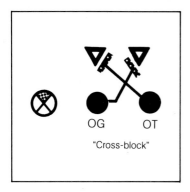

OG   OT

"Cross-block"

■ **Blocage « en équipe » (« team blocking ») :** ce type de blocage, qui oppose généralement 2 bloqueurs à 1 défenseur, s'emploie soit contre un défenseur particulièrement puissant, soit contre un défenseur « clé » par rapport à la tactique offensive retenue. On prévoit souvent qu'un des deux équipiers, dès qu'un avantage net est pris sur le défenseur, pourra « rebondir » vers un 2e objectif (voir photos p. 59).

■ **Blocage en croix (« cross block ») et blocage en pli (« fold block ») :** ce type de blocage vise à offrir le meilleur angle d'attaque possible par rapport à la position respective des bloqueurs et des défenseurs obstruant le « trou » que les premiers se proposent d'« ouvrir ».

■ **Blocage « piège » (« trap block ») :** ce « piège » vise un défenseur à qui on laisse traverser la ligne d'attaque (son opposant direct décroche et lui laisse le champ libre), alors que derrière celle-ci l'attend un bloqueur, souvent le FB, avec un angle de blocage particulièrement favorable.

LES BLOCAGES DE PROTECTION DU PASSEUR ▶

Dans le jeu aérien classique, avec le recul du QB derrière le centre (« drop-back »).

■ **Technique individuelle :** au moment du « snap » le bloqueur recule légèrement pour « lire » la direction du « rush » de son opposant, tout en concervant les pieds écartés à une bonne largeur d'épaules, et les jambes semi-fléchies. Puis il charge en établissant le contact par l'intermédiaire de son « masque » et de ses paumes, utilisées comme une large pince, sur la poitrine du défenseur. Son objectif est alors de maintenir le contact, tout en restant en opposition le plus longtemps possible entre le « rusher » et le QB ; il fait « écran » de son corps en réagissant à tous les déplacements du défenseur ; s'il se sent enfoncé, submergé par ce dernier, il tente alors de le repousser bras tendus pour se rééquilibrer, et mener une nouvelle charge (voir photos p. 59).

■ **Système collectif :** deux systèmes se partagent principalement les faveurs des entraîneurs : la protection en zone et la protection avec responsabilité individuelle.

Dans le cas de *protection en zone*, les OLM aidés des RB constituent une « poche » de protection en forme de fer à cheval devant le QB. Chaque attaquant a la responsabilité de neutraliser le « rusher », quel qu'il soit, qui se présentera sur son intérieur, et de le chasser vers l'extérieur. Pour constituer la « poche », au moment du « snap », le C recule d'un pas, les OG de deux et les OT de trois, les RB venant flanquer les OT.

Dans le cas d'une *protection à responsabilités individuelles*, chaque OLM et RB aura, avant le « snap », la consigne de prendre en charge un défenseur bien précis, quel que soit son déplacement : souvent le C est chargé du NG ou du MLB, les 2 OG des DT, les 2 OT des DE, et les RB des OLB.

LES TRANSMISSIONS DE BALLE

A cause de la nécessité absolue de conserver le ballon, et du fait que l'activité des bloqueurs s'effectue en avant de celui-ci, les transmissions de balle au cours d'une phase de jeu sont, en règle générale, réduites au minimum : centre au QB et QB soit à un RB, soit un receveur (passe avant). Il faut savoir, toutefois, qu'à l'occasion de choix tactiques exceptionnels, les joueurs peuvent être amenés à réaliser une série plus ou moins longue de passes latérales ou arrière.

◀ LA TRANSMISSION
DU CENTRE A UN ARRIÈRE :
LE « SNAP »

■■■ **Remise « main à main »** appelée parfois « snap court » : c'est le geste qui, le plus fréquemment, déclenche l'action : de sa précision et sa vivacité découle le petit temps d'avance sur la défense, qui peut mettre l'attaque en situation favorable. L'échange s'effectue entre le C et le QB.

Position initiale des 2 joueurs (considérés comme droitiers) : le centre recherche avant tout la stabilité : ses pieds, parallèles, sont largement écartés ; les jambes sont légèrement fléchies, le dos parallèle au sol ; la main droite enserre l'avant de la balle dont le grand axe est perpendiculaire à la ligne de scrimmage et le lacet orienté vers le haut (cette balle est tenue en avant du casque) ; selon sa morphologie le centre tient son ballon à une ou deux mains, la main gauche venant dans ce cas contrôler le côté arrière gauche de celui-ci.

Le QB, placé derrière le C, au contact de celui-ci, adopte une position lui permettant une large vision de la défense avant l'échange du ballon, et un déplacement rapide vers l'arrière dès que cet échange est effectué : le dos et la tête sont redressés, sans raideur, et les pieds, parallèles, écartés à la largeur des épaules, soutiennent

Centre et QB prêts pour le « snap ».

des jambes plus ou moins fléchies selon sa taille et celle du centre ; ses mains, dont la droite, par sa face dorsale, est plaquée contre l'enfourchure du centre, le majeur aligné sur l'axe de symétrie de celle-ci, sont réunies par l'intermédiaire des deux pouces, pour présenter, doigts écartés, une « cible-poche » pour la balle.

La remise de ballon proprement dite : au signal convenu, le centre lève le ballon vers les mains du QB, par un mouvement pendulaire, rapide et continu, du bras droit, tendu pendant tout le trajet ; pendant ce trajet, son avant-bras effectue un quart de tour vers la gauche afin de plaquer la balle perpendiculairement à la main supérieure du QB, le lacet au contact des phalanges de celle-ci.

N.B. Même bousculé par la défense, le C doit garder le contrôle du ballon jusqu'à la saisie ferme et nette de celui-ci par le QB.

■ **La passe du C vers l'arrière** ou « shotgun » (« coup de fusil ») ou « snap long » : utilisé principalement comme mise en jeu des phases de coups de pied (« punt » ou « field-goal »), le « shotgun » peut aussi s'adresser au QB, alors reculé à 6 ou 7 yards, pour accélérer la préparation d'une passe avant, ou à un RB pour déclencher une course « surprise ». C'est un geste des plus difficiles, dont la mise au point demande de longues heures de travail assidu, à effectuer le plus possible, après la phase d'initiation, en situation d'opposition. Sa mauvaise réalisation en match engendre toujours de graves conséquences : incapacité de marquer « au pied », reculs importants, pertes de ballon...

Position initiale (pour un droitier) : le centre, jambes écartées, très légèrement fléchies, tient la balle devant lui, lacet vers le sol, par la main droite, deux ou trois doigts « accrochant » ce lacet (*cf.* passe avant), poignet cassé. S'il utilise la technique « à deux mains », la plus académique, il applique alors la paume de sa main gauche, doigts plus ou moins rentrés selon sa souplesse, sur la partie supérieure du ballon. Il regarde sa cible entre ses jambes.

Réalisation de la passe : après avoir redressé la tête, le centre déclenche son geste en tirant vivement la balle vers l'arrière jusqu'à ce que les coudes viennent frapper l'intérieur des cuisses, plus ou moins haut, selon l'attitude de la cible ; pendant ce temps, l'action combinée des 2 mains, la droite tirant vers le haut, la gauche poussant vers le bas, communique à la balle un mouvement de rotation sur son grand axe, qui favorise la vitesse et la précision de la transmission. Dans le cas d'un envoi à une main, l'action de « tirer-pousser » sur le lacet de la main droite, seule, comme dans la passe avant, est responsable de cette rotation.

Page ci-contre : **remise « main à main » et tenue du ballon à 2 mains** *(en haut)* ; **déclenchement du pitch out** *(en bas).*
Ci-contre de haut en bas : **« snap » de « base » vu de derrière le QB ; la préparation du centre au « shot-gun » ; le « shot-gun » est déclenché.**

■■■ **La transmission « main à main » ou « hand-off » :** cette technique est utilisée dans les cas où la tactique choisie amène le porteur de balle à proximité du QB.

Le RB court vers son « trou », sans le quitter des yeux, tout en confectionnant, à l'aide de ses avant-bras, ses mains et le bas de sa poitrine, une poche (voir photo ci-dessous), dans laquelle le QB va venir loger le ballon, qu'il peut tenir à une ou deux mains : (selon, par exemple, les feintes qu'il doit réaliser) ; le RB referme alors les bras sur le ballon dont il contrôle les « pointes » avec les mains ; le QB, pour assurer la transmission, accompagne de son bras la course du QB pendant quelques centièmes de seconde, sa main contrôlant aussi ce ballon, qui est donc, pendant ce court laps de temps, en double possession ; la prise du RB étant assurée, le QB abandonne alors complètement le ballon.

■ Les transmissions QB-RB par passes arrière ou latérale, « pitch out » : le « pitch » est utilisé dans les cas où le RB s'éloigne du QB dès le déclenchement de l'action : débordements (« sweeps »)...

Passe courte et rapide, « quick-pitch » : dès la réception du « snap », le QB laisse tomber une pointe du ballon vers le sol en assurant sa prise sur celui-ci à deux mains, et par un mouvement pendulaire des bras tendus, accompagné d'une ouverture et d'une légère fente de la jambe la plus proche de l'« objectif », il propulse la balle vers la cible que doit lui constituer le RB avec ses deux mains ouvertes ; il suit alors cette balle quelques foulées, prêt à « recouvrir » un éventuel et malencontreux « fumbble » (voir photo p. 63).

Passe arrière ou latérale tendue : le QB arme son geste en assurant, bras fléchi, balle plaquée contre l'abdomen, une prise à une main : cette main tient la balle par l'arrière, le majeur accrochant le lacet avec une incidence oblique. Tout en réalisant une fente avant, le QB détend son bras vers sa cible en communiquant une rotation sur son grand axe à la balle par un violent mouvement giratoire du poignet.

■ La passe avant (lancer et réception) : à l'instar du blocage, la passe avant est, sans conteste, un « geste symbole » du FA. Génératrice de longs gains « éclairs » et de retournements de situation impressionnants, objet d'exploits athlétiques clairement perceptibles de tous, c'est elle qui offre au jeu moderne, très aérien, son aspect le plus spectaculaire.

64

■ Le lancer

— Description de la passe « classique », déclenchée par le QB immobile, après recul de celui-ci derrière « sa ligne » (pour un droitier).

Prise de balle : variant selon les lanceurs, elle répond à des critères de sécurité et de confort : la balle en main, le joueur doit pouvoir agiter vivement son bras en tous sens, sans en perdre le contrôle. Le pouce et l'index formant un V entourent ce qui sera la partie arrière du ballon au moment du lancer, les autres doigts assurant la prise sans que jamais la paume ne vienne au contact du cuir ; deux doigts, au moins, saisissent le lacet ; plus la main est petite, plus elle est reculée vers la pointe du ballon. Le grand axe de la balle forme un angle aigu avec l'avant-bras.

Préparation du lancer, recul du QB : dès la réception du « snap », le QB plaque la balle, tenue à deux mains, contre son pectoral droit, et déclenche vivement le recul (généralement 5 ou 7 foulées), qui va lui permettre de se dégager de son « mur de protection » pour observer le champ arrière adverse et ses partenaires « receveurs » luttant pour se démarquer. Il peut reculer soit en pas croisés, les épaules perpendiculaires à la ligne de scrimmage, soit en pas parallèles, face à celle-ci : la première technique privilégie la vitesse du déplacement, la seconde la largeur de vision de jeu. Le QB met alors fin au recul (« drop-back »), en plantant avec vigueur son pied droit dans le sol et en portant son poids sur ce pied droit (certains QB réalisent à ce moment un pas « sauté » vers l'avant pour se stabiliser). Dès qu'il a choisi sa « cible », il pointe vers elle son pied gauche, il est prêt à lancer.

De gauche à droite : « armé » final et déclenchement de la passe avant.

Les « paniers » de réception de passe. *De haut en bas :* **receveur face au lanceur balle haute, receveur face au lanceur balle basse, receveur tournant le dos au lanceur, receveur courant transversalement.**

Réalisation du lancer proprement dit : le lanceur arme son geste en reculant son épaule droite (l'épaule gauche « pointée » vers le receveur), et en portant la balle, tenue toujours à deux mains, à la hauteur de son oreille droite ; les deux avant-bras sont maintenant parallèles au sol.

La passe, dont la puissance sera déterminée par un bon transport de poids de l'appui arrière à l'appui avant, est alors déclenchée : une vive poussée du pied droit permet l'engagement, en rafale, du genou, de la hanche et du coude droit ; la main gauche a lâché le ballon et sert de balancier ; l'avant-bras se détend sur le bras qui ne descend jamais au-dessous d'un plan parallèle au sol, et les épaules pivotent de 180° ; en finale du geste, grâce à un « fouetté » du poignet, la main accompagne l'engin le plus loin possible vers l'avant : c'est la rotation, dans le sens trigonométrique, de cette main, agissant par l'intermédiaire du bout des doigts du lanceur (l'index est le dernier en contact avec le ballon), en engrenage avec le lacet et le cuir, qui engendre la fameuse rotation de la balle en vol : cette rotation, gage de puissance et de précision du lancer, s'effectue sur le grand axe du ballon, et dans le sens des aiguilles d'une montre pour un observateur placé derrière le lanceur.

— Les passes en « déplacement »

Le QB, en déplacement latéral curviligne (« roll-out ») ou rectiligne et rapide (« sprint-out »), et même un RB, feintant d'abord une course de débordement (« double QB »), peuvent être amenés à lancer vers l'avant en courant : dans ce cas le lancer s'amorce au moment où le pied correspondant au bras lanceur prend contact avec le sol, la dernière foulée s'effectuant, en principe, en direction de la cible. Le manque de solidité des appuis sera compensé par une accentuation de la rotation des épaules.

■ La réception (techniques des receveurs)

Pressé par les défenseurs, menacé d'un choc violent dès la réception du ballon, gêné dans son champ de vision par la grille du casque, le receveur « travaille » dans des conditions difficiles. Sa première tâche, pour se préparer le mieux possible à cette réception, est de se « démarquer ».

Les courses de démarquage ou « tracés » de receveurs (« patterns » ou « routes ») doivent répondre à plusieurs objectifs :

— le premier est d'isoler le plus possible le receveur du ou des défenseurs chargés de l'empêcher de recevoir le ballon, ou de le plaquer si ce ballon a été bien reçu, c'est le démarquage proprement dit.

— Le second est de disperser la défense ou de l'attirer loin de l'endroit vers lequel se dirigera en fait la poussée offensive.

— Le troisième est de permettre au lanceur de savoir à l'avance comment et vers

où vont se mouvoir « ses » receveurs, afin qu'il puisse les « trouver » au moment opportun, et surtout leur décocher des passes susceptibles d'anticiper leurs déplacements pour les atteindre alors qu'ils sont en pleine course.

Il est évident que les objectifs 2 et 3 ne peuvent être atteints que si les tracés sont programmés collectivement, le choix tactique étant annoncé, à l'instar des jeux « au sol », au cours du « huddle » précédant l'action. Les caractéristiques des « tracés » possibles (longueur des courses, nature et angle des changements brusques de direction — « cuts » —, changements de rythme de foulées, opportunité de feintes) sont décrites dans le « cahier de jeux », avec leur dénomination ; chaque receveur les mémorisera parfaitement, les répétant inlassablement à l'entraînement, tout d'abord avec des repères au sol, puis sans l'aide de ces repères, comme un patineur travaillant ses « figures imposées ».

Des exemples de « tracés » parmi les plus classiques et des exemples de combinaisons de « tracés » complémentaires des différents receveurs destinés à répondre à l'objectif 2, cité plus haut, sont présentés dans le chapitre 4 : Tactique, pages 95 à 99.)

On peut cerner, maintenant, les difficultés rencontrées par le receveur, dans la réalisation du premier objectif, le démarquage : en effet, dans le cadre de ces « tracés imposés », il a peu de latitude d'improvisation pour s'adapter finement aux réactions des défenseurs. Les « cuts » prévus vont, bien sûr, être une arme pour lui, à condition qu'il ne les « téléphone » pas en les amorçant toujours de la même façon : les feintes de tête, d'épaule avec les bras tendus vers le lanceur, de pas, etc., brusquement orientés dans le sens opposé au changement de direction, juste avant celui-ci, seront utilisés en alternance non régulière, ainsi que des accélérations brutales (souvent après le « cut »), pour « lâcher » le défenseur ; une technique souvent employée consiste à « fixer » l'adversaire en feintant de préparer sur lui un blocage puissant, pour l'esquiver au dernier moment et se glisser dans son dos.

Une des contraintes majeures, enfin, va consister pour le receveur à fixer très tôt, et en pleine course, son regard sur le lanceur : c'est une condition *sine qua non* pour réagir efficacement dès le déclenchement de la passe.

La réception proprement dite : une balle correctement lancée est rapide ; elle se présente au receveur par la « pointe » qui est dure ; sa section est assez réduite. Le receveur lui offrira donc un « panier » de réception, au centre duquel un espace libre permettra à la « pointe » de se ficher ; voir photos page ci-contre.

A l'impact, les avant-bras, les poignets et surtout les mains absorberont le choc en accompagnant le ballon. De la souplesse de cet « amorti » dépendra la sûreté de la réception : ce travail n'est possible que si le joueur amorce son « attrapé »,

comme on dit au Québec, sans raideur, les bras dégagés du corps. Pendant le trajet aérien du ballon et jusqu'à ce que celui-ci soit non seulement réceptionné, mais encore mis en « sécurité » par le receveur (voir para. suivant « Transport du ballon »), ce dernier ne devra, en aucun cas, le quitter des yeux. Un grand nombre d'échecs dans les réceptions est imputable au fait que le receveur détourne son regard de la balle, quelques centièmes de seconde trop tôt, pour se préoccuper des défenseurs (il a « les oreilles » — sous-entendu trop ouvertes —), ou pour préparer, avec trop de hâte, sa course vers les buts adverses. Toutefois, une fois la balle bien « au chaud », il restera au receveur la responsabilité de tenter de se dégager de la défense adverse pour courir vers le « touchdown » ou, au moins, gagner quelques yards en plus.

LE TRANSPORT DU BALLON

Qu'il soit entre les mains d'un RB, d'un receveur ou même d'un défenseur contre-attaquant après la réussite d'une interception, le ballon reste l'objet d'une intense convoitise pour l'équipe qui ne le possède pas, et les défenses conséquentes travaillent toujours, conjointement aux techniques de plaquage, les techniques d'arrachement de balle (*cf.* paragraphe suivant). Le porteur doit donc, en toutes circonstances, adopter une attitude qui privilégie la fermeté et la sécurité de la prise de balle, même lorsque cette attitude semble contradictoire avec l'aisance, voire l'élégance de ses déplacements. Le porteur de balle, en outre, tient à sa disposition un certain nombre de techniques destinées à l'aider à échapper aux plaqueurs potentiels.

LA TENUE DE LA BALLE ▶
PENDANT LE CONVOYAGE

Deux règles importantes sont à respecter impérativement.
— Chaque fois que le possesseur du ballon attaquera une zone à forte densité défensive, il tiendra ce ballon à deux mains ou, plus exactement, à deux bras : la balle est plaquée en travers du haut de l'abdomen, les deux pointes contrôlées par les mains et les coudes, le corps du ballon contrôlé par les deux avant-bras (voir photo p. 63).
— Quand le porteur se déplacera hors de portée immédiate de la défense, ou quand il ne sera confronté qu'à un seul défenseur, il tiendra sa balle à une seule main, mais en la plaçant toujours du côté opposé à la menace défensive : le ballon est plaqué contre le flanc du joueur, la pointe avant contrôlée par la main, la pointe arrière contrôlée par le « gras » du biceps. Un grand soin doit être apporté aux

changements de côté de tenue du ballon, qui doivent faire l'objet, conjointement à des changements de direction, de nombreux exercices du RB : la balle est glissée par le travers du corps du joueur par le bras initialement porteur, jusqu'à ce que l'autre bras puisse effectuer un relais ferme et sûr.

■■ Techniques sans contact : nous ne donnerons pas les détails des techniques de changement de direction et d'allure (crochet, contre-pied par pas latéral, pas croisé, « fausse allure » et changement brutal de vitesse...) qui sont communes à de nombreux sports collectifs (rugby, basket, handball, etc.).
Le porteur de balle utilisera parfois des sauts pour éviter des plaqueurs l'attaquant très bas :
— en plein champ il pourra enjamber l'adversaire en dégageant haut et latéralement sa jambe d'impulsion dans un geste rappelant celui des « coureurs de haies »,
— à proximité de la ligne de but adverse, au-dessus de l'obstacle constitué de nombreux DLM et OLM, écroulés au sol, il pourra réaliser de très gymniques plongeons, en prenant un appel à deux pieds, après une courte course d'élan, permettant de marquer des « essais » fort spectaculaires.

■■ Techniques avec contact : contre un défenseur déséquilibré ou trop « haut » sur ses appuis, tout d'abord, un joueur puissant pourra utiliser des percussions directes de l'épaule ou de la tête, par l'intermédiaire de la grille de protection (jamais par celui du sommet du casque).
Plus sophistiquées, et comparables un peu aux « raffuts » du rugby, viennent ensuite les percussions, réalisées bras tendus par l'intermédiaire de la main ouverte ou de l'avant-bras, sur le casque, les bras ou la poitrine du plaqueur que l'on cherche à éloigner.
Enfin, au contact d'un défenseur se présentant de face, le convoyeur de balle pourra utiliser une des techniques les plus subtiles et les plus agréables à regarder du FA : le « pivot ».
Pour un pivot à droite : le porteur de balle établit le contact par l'intermédiaire de son épaule et de son avant-bras gauche, en alignant son pied gauche sur le pied gauche du plaqueur ; il vient alors vivement prendre appui sur son pied droit, qu'il place à « l'extérieur droit » du plaqueur, et pivote de 180° dans le sens trigonométrique, tout en repoussant du bras gauche son adversaire ; le plus rapidement possible, il reprend appui sur son pied gauche, et projette sa jambe droite vers l'avant pour relancer sa course en direction des buts adverses. Pour maintenir sa stabilité, il doit rester assez bas sur ses appuis, pendant l'exécution complète de ce pivot.

◄ QUELQUES TECHNIQUES D'ÉVITEMENT DE PLAQUAGE

Tenue de balle à une main accompagnée d'un raffut bras tendu *(en haut)*, **d'une percussion de l'avant-bras vers le haut** *(en bas).*

LES FEINTES

Organiquement liées à la dimension tactique du jeu (*cf.* chapitre 5), les feintes sont un ressort important, non seulement de l'efficacité de l'offensive, mais tout simplement de l'intérêt, de la beauté du FA.

La feinte la plus employée est celle de la transmission de balle « main à main » entre le QB et un RB : le QB, selon la nature de la suite du « jeu » à exécuter peut utiliser deux méthodes : il place le ballon contre l'estomac du RB, pour le retirer vivement et le cacher quand celui-ci feint de refermer les bras dessus ; ou bien il met seulement une main contre l'estomac du coureur et maintient le contact le temps d'une foulée complète de celui-ci ; il accompagne des yeux un bref instant le RB « feinteur », puis exécute la suite du jeu ; le RB, qui doit le plus longtemps possible fixer l'attention et l'activité de la défense loin de l'endroit où se déroule vraiment l'action, prend évidemment l'attitude qui est habituellement la sienne lorsqu'il porte la balle (il évite en particulier de plaquer ses avant-bras sur sa poitrine, comme sur un ballon sans volume) ; il tente alors avec conviction de s'enfoncer dans la défense adverse et, s'il n'est pas plaqué, attend d'avoir parcouru 3 ou 4 yards au moins avant d'exécuter une autre action de jeu (blocage, « tracé » de receveur complémentaire...).

D'autres feintes, que nous nous contenterons de citer, et dont l'exécution correcte découlera des qualités de comédien et de la conviction de chaque joueur dans leur bien-fondé, sont employées ; elles peuvent concerner n'importe quel joueur d'attaque :

— feinte de remise QB à RB, alors que la balle a déjà été transmise ;

— feinte de « pitch » ou de passe avant (« pompe »), et renversement du jeu ;

— feinte collective des OLM qui font semblant de préparer une « protection de passe », alors qu'un jeu « au sol » va, en fait, être déclenché ;

— feinte de l'amorce d'une réception d'un receveur pour préparer un changement de direction ou un blocage surprise...

Il en existe d'autres et, surtout, l'on peut développer, à partir de ces éléments simples, une combinatoire nombreuse et complexe, mais cela est une autre histoire... nous en reparlerons dans le chapitre 4 : Tactique.

TECHNIQUES DÉFENSIVES

LES PLAQUAGES

Chaque pouce de terrain compte au FA, et l'objectif premier du plaquage, arme de base de tout joueur défensif, est d'arrêter net le porteur de ballon : la dimension percussive de la technique sera donc aussi importante à développer que celle, préhensive, de saisie et de contrôle de l'adversaire.

◀ TECHNIQUE INDIVIDUELLE

■■ **Le plaquage de face :** la situation dans laquelle le porteur de balle se présente seul, face à un défenseur, offre l'occasion d'affrontements nets, souvent rudes : c'est le terrain idéal qui permet au défenseur de tenter d'impressionner l'attaquant, en exprimant sa puissance et sa détermination.

Préparation : à proximité du porteur de balle, le défenseur va contrôler sa propre vitesse, la réduire si nécesssaire, pour ouvrir son « angle » de plaquage, c'est-à-dire se préparer à être en mesure de réagir à un ultime changement de direction de l'attaquant. Il recherche la stabilité en écartant les pieds et en fléchissant les jambes ; la tête est redressée, le buste incliné vers l'avant, dos « placé », les bras sont largement ouverts, alors que les doigts sont maintenus serrés, solidaires, en prévention d'éventuelles blessures ; tout en fixant les hanches de l'attaquant qui, seules, sont susceptibles de le renseigner sur un éventuel dernier « crochet », il termine son approche par des pas d'ajustement, très courts, mais très dynamiques.

Plaquage proprement dit : le plaqueur prend l'initiative du contact, sans « plonger » ou décoller d'aucune façon ses appuis du sol, par une poussée explosive de ses jambes, dirigée vers l'avant (pour lui) et légèrement vers le haut, propulsant la partie supérieure de sa « grille » et la partie frontale de son casque « dans le bas du numéro » de l'attaquant. Il referme alors vigoureusement les bras pour assurer sa prise, les mains saisissant l'arrière des jambes de l'adversaire, à la hauteur des creux poplités, et, poursuivant sa poussée, il le soulève et le renverse sur le dos, en maintenant son contrôle jusqu'à l'arrivée au sol.

N.B. Un plaqueur en infériorité importante de poids par rapport à sa « cible » compensera la différence de puissance en établissant le contact plus bas, au niveau des hanches, voire des cuisses de son adversaire.

Ci-contre de gauche à droite :
saisie du plaqueur, vue derrière le
plaqué sur un plaquage frontal ;
plaquage latéral.
Ci-dessus : plaquage de face.

Quand l'attitude de l'attaquant le permettra, sans que cela ne nuise en rien à la vigueur de la percussion, le plaqueur pourra établir le contact en frappant de son front le ballon, pour tenter de le faire échapper aux mains du porteur.

■■■ **Le plaquage latéral :** globalement, la technique est comparable à celle du plaquage de face : deux différences sont à relever :
— le porteur ne s'« offrant » pas comme dans le plaquage de face, la mise en bonne position du plaqueur, liée à la phase de préparation de son geste, sera délicate. L'objectif du défenseur est d'« intercepter » l'attaquant le plus tôt possible, certes, mais en tenant compte du déplacement de celui-ci, en « anticipant » ce déplacement. Le plaqueur devra donc courir à la rencontre de sa cible en calculant et respectant un angle de poursuite déterminé, à la fois par les vitesses relatives de lui-même et de cette cible, et par l'éloignement de celle-ci. La répétition inlassable d'exercices spécifiques à l'entraînement permettra aux défenseurs d'apprendre à « apprécier » justement et, surtout rapidement, ce fameux « angle de poursuite ».
— le plaqueur, se présentant de côté, va tenter d'interposer le plus possible son corps entre le porteur de balle et sa propre ligne de but. Il va donc glisser sa tête devant l'attaquant au déclenchement de plaquage, et l'impact sera donc réalisé, dans le cas par exemple d'un plaquage venant de la droite, par le côté droit du casque et l'épaule droite, « frappant » conjointement.

▄▄▄ Plaquage par l'arrière. En poursuite arrière stricte : le défenseur, si sa vitesse lui permet de « coller » à l'attaquant, le plaquera en lui étreignant les jambes de ses deux bras, après avoir établi le contact par l'intermédiaire d'une épaule. Il ne « plongera » que s'il est trop éloigné ou trop lent, tentant alors, en désespoir de cause, de le saisir au niveau des chevilles ; complètement « débordé » il pourra même, en dernier recours, lui frapper, en plongeant, le cou-de-pied de la jambe arrière pour le déséquilibrer et le faire tomber : c'est la fameuse « cuillère », aléatoire mais spectaculaire.

Sur un receveur en train de réaliser une réception en extension : le défenseur, se présentant « dans le dos » d'un receveur au moment où celui-ci établit le contact avec la balle, va réaliser un plaquage particulier, très percutant, dont le but premier est de faire lâcher le ballon à l'attaquant, et le but second de lui « faire peur » et de le déconcentrer lors de ses éventuelles prochaines réceptions. Le plaqueur frappe du front et de la « grille » le receveur, alors que celui-ci est encore « en l'air », au niveau du numéro, ou même parfois de la ceinture ou des jambes si l'impulsion a été très importante ; si l'impact n'a pas été suffisant pour faire perdre la balle à l'attaquant et le faire complètement basculer, le défenseur continue son action en entourant celui-ci de ses bras, au-dessus des épaules, pour frapper le ballon de ses deux poings ramenés brutalement vers le bas ; si tout cela n'a pas encore suffi à faire lâcher prise au receveur, le défenseur va lui saisir les bras et tenter de les lui tirer violemment vers l'arrière, tout en continuant sa poussée par l'intermédiaire du front et des épaules.

Page ci-contre et ci-dessous : plaquage arrière « percutant » contre un receveur en pleine réception.

■ **Plaquage en groupe (« gang tackle ») :** 2 (ou plus) défenseurs peuvent atteindre simultanément le porteur de ballon et conjuguer leurs efforts pour le stopper sur place. Combinant par exemple plaquage de face et plaquage latéral, étageant leurs zones d'impact pour éviter de se frapper entre eux comme on le voit parfois, même au meilleur niveau, ils auront alors comme objectifs, outre celui tout simple d'arrêter l'attaquant, d'une part, celui de le démoraliser en le faisant douter de sa puissance et de son efficacité, d'autre part, celui, plus immédiat et plus concret, de lui subtiliser la balle en se partageant les tâches : l'un (ou les uns) se charge plus particulièrement de contrôler le joueur, alors que l'autre (ou les autres) concentre son activité sur l'arrachage du ballon.

En outre, le plaquage sera effectué collectivement, mais sans simultanéité stricte, dans le cas fréquent où le premier défenseur au contact de l'attaquant n'aura que partiellement réalisé son « travail », ne réussissant qu'à freiner celui-ci (mauvaise saisie, plaquage trop « haut » ou trop « bas »...) : ses partenaires viennent alors profiter du ralentissement de l'adversaire et conclure le « stoppage ».

Ci-contre : **plaquage à 2 « gang tackle ».**
Page ci-contre : **un Challengers arrêté par deux Spartacus.**

TECHNIQUES D'ÉVITEMENT DES BLOCAGES

Un défenseur ne peut accomplir sa tâche, dans la majorité des cas, que s'il a su se libérer des blocages adverses. Le règlement lui permettant d'utiliser ses bras et ses mains pour éloigner les bloqueurs et s'en dégager, une grande variété de techniques lui est offerte (en plus des feintes de corps et des esquives) dont nous allons décrire les principales.

FRAPPE ET POUSSÉE DES MAINS (« HAND SHIVER ») ▶

Cette technique, une des bases du travail défensif, nécessite une puissance et une robustesse importantes des membres supérieurs. Le défenseur, dès l'amorce de la charge de son adversaire, fait un pas à sa rencontre, se stabilise face à lui sur des pieds écartés et pratiquement placés au même niveau, et, réalisant une extension de tout le corps, vient frapper de ses deux paumes la poitrine de l'attaquant, juste sous les épaules ; la poussée, dont l'efficacité est conditionnée par la vigueur de la détente complète des bras, s'exerce vers l'arrière du bloqueur et vers le haut, dans le but de faire remonter le centre de gravité de ce dernier pour le faire « flotter » sur ses appuis, et le déséquilibrer totalement. C'est, à ce stade, l'activité des jambes du défenseur qui va lui permettre, grâce à de toutes petites foulées très dynamiques vers l'avant, alors que ses coudes restent verrouillés en extension, de maintenir l'attaquant éloigné tout en accentuant son déséquilibre ; le défenseur tentera alors de maintenir sa pression le temps de « lire » le jeu avant de se dégager pour aller « attaquer » le porteur du ballon.

N.B. Contre un blocage « bas », sous la ceinture, le défenseur utilisera aussi très souvent un « hand shiver » : la frappe s'effectuera, en fléchissant les jambes, sur le sommet des épaules, voire le dos, du bloqueur, et la poussée sera exercée en direction du sol. Si l'attaquant plonge en perte d'équilibre en réalisant son blocage, le défenseur pourra accentuer l'efficacité de son « hand shiver » par une esquive du corps, et plaquer le bloqueur au sol.

FRAPPE DE L'AVANT-BRAS (« FOREARM SHIVER ») ▶

Parfois appelé « forearm lift », ce qui traduit l'idée de « remonter » le bloqueur. Description pour une frappe de l'avant-bras gauche : le défenseur, dès l'amorce

du blocage, avance le pied gauche vers l'attaquant, puis ramène son pied droit sensiblement à la hauteur du gauche, en le portant légèrement sur l'extérieur gauche du bloqueur. Ce faisant, il frappe ce dernier à la hauteur de son numéro, de bas en haut, à l'aide de son avant-bras gauche maintenu parallèle au sol ; il obtient ainsi un déséquilibre du bloqueur, exercé vers l'arrière et la droite de celui-ci ; il peut alors accentuer d'une façon spectaculaire ce déséquilibre, en appliquant à l'aide de sa main droite une violente poussée, par l'intermédiaire de l'épaulière de l'attaquant qu'il utilise comme un levier, vers le haut et la droite de ce dernier.

◀ LES SAISIES

Le règlement offre aux joueurs défensifs le droit de saisir passagèrement (voir chapitre 7 : Les règles) les bloqueurs proches du porteur de balle : donc, en enchaînement avec l'une des techniques précédentes, alors que le bloqueur a été maintenu éloigné et a été déséquilibré, il est très efficace pour le défenseur d'utiliser une saisie de son maillot ou de son épaulière pour exercer, immédiatement et rapidement, une violente poussée ou une puissante traction qui accentue ce déséquilibre, et permet de se débarrasser de lui définitivement (« the shed »), parfois même en le projetant au sol. Si le déséquilibre initial du bloqueur est inexistant, le défenseur pourra le déclencher, à la manière d'un judoka, en « faisant réagir » son adversaire. Grâce à la prise ferme que lui procure cette fameuse saisie, il va, par exemple, tirer ce dernier sèchement vers sa droite. Celui-ci réagira en résistant alors vers sa gauche, et le défenseur, accompagnant immédiatement cette réaction, l'accentuera par une vive traction, en sens opposé de la première, lui permettant de se débarrasser de lui ; il est évident que le même « travail » peut s'effectuer sur un axe antéro-postérieur ou oblique, en mettant alors en jeu des « actions-réactions » de « pousser-tirer ».

N.B. Il existe d'autres techniques (blocages d'avant-bras simples ou doubles, exercés dans différentes directions...) et surtout de nombreuses combinaisons de ces techniques avec les gestes « de base », que nous venons de présenter. En fonction de sa morphologie et de son style, des différents types d'adversaires rencontrés, des différentes situations de jeu auxquelles il sera confronté, chaque défenseur devra créer son propre arsenal d'enchaînements comme tout « combattant » qui veut pouvoir surprendre son vis-à-vis. A partir des fondamentaux assimilés à l'entraînement, il ne pourra élaborer un système d'évitements de blocages, personnel et efficace, que par la longue expérience des rencontres, seules situations réelles d'opposition.

LE MARQUAGE DES RECEVEURS (COUVERTURE DE PASSE)

Que le choix tactique de la défense soit celui d'une défense « de zone » ou celui d'une défense « individuelle » (« man-to-man ») (*cf.* chapitre 4 : Tactique, le paragraphe « Défense »), le marquage proprement dit des receveurs a pour but d'enrayer les attaques aériennes ; il est le fait des linebackers et surtout des arrières défensifs (« cornerbacks » et « safeties »).

L'objectif que vise, le plus souvent, le défenseur, est d'intervenir sur la trajectoire du ballon, pour rabattre ce dernier vers le sol en le « smashant » avant que l'attaquant ait pu le capter. S'il n'a pu empêcher le receveur de « compléter » la passe, le défenseur se doit, au moins, de lui barrer la route de l'essai en le plaquant, avec la préoccupation, en outre, de lui arracher le ballon (*cf.* paragraphe

« Plaquages »). Dans le cas, et dans le cas seulement, où le défenseur peut agir en toute sécurité, c'est-à-dire où il ne risque pas de se faire « lober » par le ballon et voir l'attaquant filer librement au « touchdown » après sa réception, il tentera l'interception. Cette brillante action dont sont friands tous les défenseurs (parfois jusqu'à l'excès), leur fait non seulement regagner la possession du ballon, mais encore leur offre, face à un adversaire médusé par son échec, l'occasion de spectaculaires contre-attaques, poussées parfois jusque dans l'en-but adverse. L'interception est rendue possible principalement par une double couverture du receveur, un des 2 défenseurs se place, en sécurité, entre l'attaquant et la ligne de but, ce qui permet à son partenaire de concentrer son attention sur le ballon ; elle est favorisée aussi, bien sûr, par des erreurs de l'unité offensive adverse : soit une « mauvaise » passe du QB (souvent provoquée par la « pression » exercée par la « ligne » défensive, alors réelle responsable de l'interception) qui met la balle hors de portée du receveur respectant son tracé, soit, au contraire, un « tracé » erroné du receveur l'éloignant de l'endroit où l'attend le QB qui a, en anticipant le « tracé » prévu, déjà déclenché son geste.

Lors du déclenchement de l'action offensive (au « snap »), chaque arrière défensif doit, sauf consigne exceptionnelle donnée pendant le « huddle », se comporter comme s'il allait avoir à contrer un jeu de passe, c'est-à-dire se déplacer dans les mêmes direction et sens que le receveur potentiel dont il a la charge, en s'efforçant à la fois de rester entre ce dernier et sa propre ligne de but et de surveiller le QB et le ballon, s'efforçant même, les premières foulées accomplies, de rester précisément sur l'axe défini par la position du ballon et celle du receveur. Il utilise, dans ce premier déplacement, la course à reculons (« back-pedal ») ; cette technique, d'un apprentissage long et difficile, est en effet la seule qui lui offre un champ de vision efficace. Si le comportement de l'attaque confirme le développement d'un jeu aérien, et dès que le receveur s'approche à moins de 3 ou 4 yards de lui, le défenseur prend un style de course « normal », tout en continuant à rester en « opposition » entre ses buts et l'attaquant. En portant une attention particulière aux hanches du receveur, partie du corps susceptible de fournir les meilleurs renseignements sur les changements de direction de ce dernier, le défenseur effectuera dès lors un marquage serré, jusqu'à ce que l'attitude de l'attaquant lui indique que la réception est imminente et qu'il convient d'intervenir sur la trajectoire du ballon (voir plus haut). Le défenseur choisit parfois de pratiquer sur le receveur, lors du début de sa « course » et avant que la balle soit lancée, un blocage sec et passager (« bump »), qui a pour but d'obliger celui-ci à modifier le rythme et les coordonnées de son « tracé », ce qui peut perturber considérablement la connexion QB-receveur.

LE JEU AU PIED

■ **Le coup de pied d'engagement (« kick-off ») :** l'objectif du botteur, lors d'un « kick-off » classique (nous étudierons les variantes dans le chapitre 4), est de propulser la balle, non seulement loin, mais haut, afin qu'elle reste le plus longtemps possible en l'air : il faut donner le temps aux partenaires du botteur de se rendre à proximité du point de chute de la balle, et leur permettre d'intervenir rapidement pour tenter d'enrayer la contre-attaque (ou « retour ») adverse. La balle est généralement posée par la pointe sur un support à trois branches et trois pieds (« tee »), son grand axe perpendiculaire au sol, ou légèrement incliné vers le botteur : celui-ci la frappe, après une course d'élan de 5 ou 6 yards, soit dans le style rugby (course d'élan rectiligne, frappe de la pointe du pied), soit dans le style « soccer » (course d'élan curviligne, frappe du « coup de pied » en fauchage, pied en extension forcée) ; dans les deux cas, il accompagne loin et haut le ballon ; ce n'est que face à un vent violent, qu'il cherchera une trajectoire assez basse et tendue. Le botteur s'efforce toujours (*cf.* règlement) de ne pas faire sortir le ballon du terrain : ses cibles de prédilection sont les deux « devil boxes » (« boîtes du Diable ») (voir croquis).

■ **Le coup de pied de dégagement (« punt »)** — geste décrit pour un droitier : de même que lors du « kick-off », et pour la même raison, le « punter » recherchera une trajectoire longue et haute.

Positionné à environ 12 yards derrière ses OLM, le « punter » reçoit (en principe à la hauteur de sa ceinture) la balle des mains du centre, par le truchement d'un « shotgun » puissant ; il réceptionne le ballon à deux mains, puis le positionne

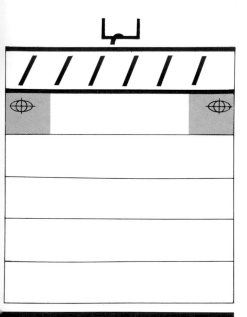

devant sa jambe droite, les bras dans un plan parallèle au sol ; le grand axe de la balle est sensiblement parallèle à celui du pied droit, la pointe avant étant en fait légèrement inclinée vers le sol et tournée à l'intérieur ; orientant ses appuis en fonction de la direction du point de chute souhaité, il prend 2 ou 3 pas d'élan, écarte les bras pour lâcher alors la balle, simultanément des deux mains, et la frapper, pied en extension, grâce à un « fouetté » du genou, très très légèrement à gauche de son grand axe, pour lui communiquer une rotation favorable à sa progression aérienne. La hauteur de la trajectoire sera déterminée par la distance du sol à laquelle il frappera le ballon, et par l'amplitude de l'accompagnement final du geste : vent « dans le dos », il recherchera une trajectoire très montante, vent « de face », il bottera presque « à plat ».

■■ **Le coup de pied au but (coup de pied « à 3 points », « field-goal » transformation, « try for point ») :** ce type de coup de pied est considéré comme réussi si la balle est propulsée au-dessus de la barre transversale des poteaux de but, et entre les poteaux latéraux ou leur prolongement. Il est principalement le résultat de l'action conjuguée de 3 joueurs : le centre, qui adresse un « shotgun » ultrarapide à un joueur agenouillé 7 yards derrière lui ; ce joueur, le « placeur » de balle, qui la reçoit donc du centre, et la positionne vivement sur le sol ; le botteur, enfin, qui donne le coup de pied proprement dit. Quand on sait que les trois compères disposent de moins de 2 s pour réaliser leur triple action, et à condition encore que leurs partenaires bloquent « bien » les défenseurs qui tentent d'intervenir, on peut mesurer à quel point la coordination de chacune des interventions avec les deux autres doit être « rodée », parfaite.

Pour un botteur droitier : le centre envoie une balle tendue et précise à la hauteur de la poitrine du placeur qui lui présente la main droite ouverte comme cible ; à ce moment, en appui sur son genou gauche et son pied droit (la jambe droite est donc fléchie, le genou « ouvert » pointant vers la ligne de scrimmage), le placeur indique, du bout des doigts de la main gauche, au botteur, l'endroit exact où il compte placer le ballon (souvent sur un petit bloc de caoutchouc dur qui sert à surélever celui-ci de quelques centimètres). Dès que la balle lui parvient, il la réceptionne à deux mains, sans se relever, et la place au sol (ou sur le petit support), son grand axe perpendiculaire au sol ou légèrement incliné vers le botteur, en ayant soin de disposer le lacet vers l'avant ; il ne la maintient plus, dès lors, que par une légère pression du majeur de la main droite qu'il est venu appliquer contre sa pointe supérieure. Le botteur, qui s'est élancé dès le premier contact du placeur avec le ballon, par une course de 3 ou 4 foulées, frappe alors celui-ci (style « soccer » ou rugby), en accompagnant longtemps son geste vers le haut.

Page ci-contre :
« punt » du 17, le 36 est en protection (en haut) ;
les deux « devil boxes », cibles privilégiées des botteurs de « kick-off » (en bas).

83

4
TACTIQUE

Une équipe conséquente aborde chaque rencontre avec une stratégie déterminée par les conditions globales de l'affrontement (*cf.* chapitre 5). Tout au long de la partie, et dans le cadre de cette stratégie, chaque action fera l'objet d'un choix tactique tenant compte des conditions particulières de la « tentative » à jouer et de l'évolution du rapport de forces. Comme nous l'avons vu au chapitre 2, ce choix est arrêté, parmi les solutions proposées par le « cahier de jeux », véritable bible tactique de l'équipe, au cours du « huddle » (offensif ou défensif) précédant chaque « down », par l'entraîneur ou le capitaine de la formation concernée.

Au cours de ce chapitre, nous allons tout d'abord élucider la manière de consigner par écrit et de dénommer les tactiques, tant offensives que défensives ; puis nous passerons en revue les différentes formations collectives (positionnements relatifs des joueurs, préliminaires au départ de l'action) et les différents types de jeux constituant normalement l'arsenal tactique d'une équipe ; enfin, après avoir fait le détail des principaux paramètres intervenant, lors d'un match, au niveau tactique, nous examinerons les problèmes essentiels posés sur ce plan, et les solutions que l'on peut proposer.

TRANSCRIPTION ET DÉNOMINATION DES TACTIQUES

LES DIAGRAMMES TACTIQUES

Chaque joueur possède, valable pour la durée de la saison sportive, un « cahier de jeux », où sont consignées par les entraîneurs non seulement quelques réflexions d'ordre général (philosophiques et stratégiques) ou quelques recommandations particulières concernant la préparation physique, la diététique..., mais surtout l'ensemble des tactiques susceptibles d'être utilisées au cours des rencontres : la retranscription sous forme de diagrammes de ces « jeux » indique, de façon claire et précise, quelle est la tâche, la responsabilité, de chaque joueur lors de la réalisation de chacun d'entre eux, qu'il s'agisse de déplacements avec ou sans le ballon, de blocages, d'échanges de balle, de feintes...

Page ci-contre : **légende des diagrammes.**

JOUEUR OFFENSIF.

JOUEUR OFFENSIF EN POSSESSION
DU BALLON AU DÉPART DE
L'ACTION (CENTRE).

JOUEUR DÉFENSIF DE LIGNE (DLM).

JOUEUR DÉFENSIF DE L'ARRIÈRE-LIGNE
(LINEBACKER) ou ARRIÈRE DÉFENSIF (DB).

_____

DÉPLACEMENT SANS BALLON.

DÉPLACEMENT AVEC BALLON.

TRANSMISSION « MAIN A MAIN »
DE LA BALLE (autre que le
« snap » du centre au QB).

– – – – – – –

TRAJET AÉRIEN DE LA BALLE :
passe arrière, avant,

·– ·– ·– ·–

TRAJET AÉRIEN DE LA BALLE :
coup de pied...

F   EMPLACEMENT D'UNE FEINTE
(généralement feinte de prise de balle).

BLOCAGE : *N.B.* Le blocage
s'excerce dans une direction
perpendiculaire au trait épais
qui, en fait, symbolise la ligne
des épaules du bloqueur.

Exemple :

ce dessin signifie que le
bloqueur A tente de déplacer
le défenseur B dans la
direction de la flèche
du dessin   :

BLOCAGE PASSAGER (« BRUSH-BLOCK »), puis
DÉPLACEMENT DU BLOQUEUR VERS UN DEUXIÈME
OBJECTIF.

■ Exemples de diagrammes offensifs :

— Un jeu au sol :

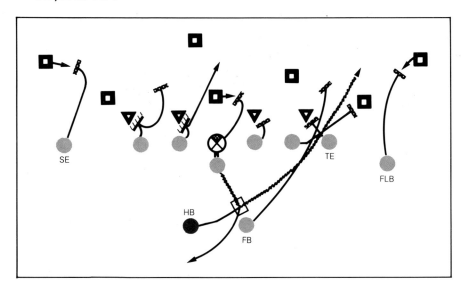

Commentaire : il s'agit d'un jeu au sol (course du HB avec le ballon, en l'occurrence). Au départ de l'action, l'escouade offensive utilise une formation ouverte, côté fort droit ; la défensive est alignée en formation 43. Le HB reçoit le ballon des mains du QB et, précédé du FB, s'engouffre dans l'espace que lui ouvrent, par un blocage « en croix », le TE et le RT ; tous les autres joueurs ont à réaliser des blocages pour écarter les défenseurs de la route du HB, sauf le QB qui feint de conserver la balle et de foncer en sens contraire.

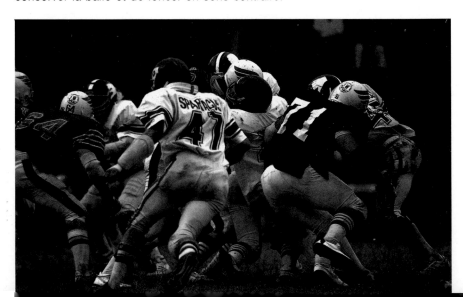

— Un jeu aérien :

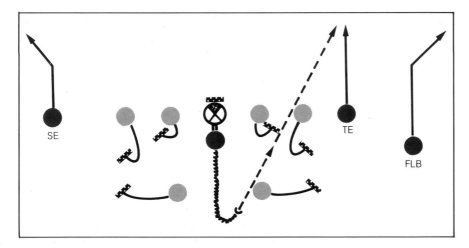

Commentaire : il s'agit d'un jeu de passe avant, d'un jeu aérien ; les trois receveurs potentiels courent selon les « tracés » dessinés ; le QB recule à l'abri de la protection effectuée conjointement par les hommes de ligne intérieurs et les RB, puis il lance au receveur le mieux démarqué si tout se passe bien (au TE dans l'exemple choisi).

N.B. On se contente, la plupart du temps, de ne dessiner que les « tracés » des receveurs : le diagramme précédent sera donc, en fait, simplifié comme suit :

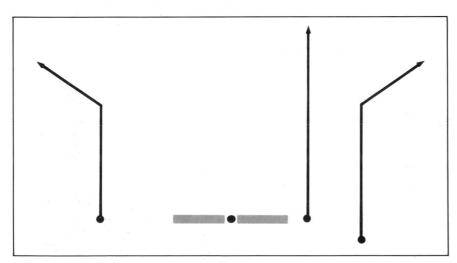

■■■ Exemple de diagramme défensif : responsabilités des joueurs, à partir d'une formation 43, contre une tentative de débordement de l'attaque adverse.

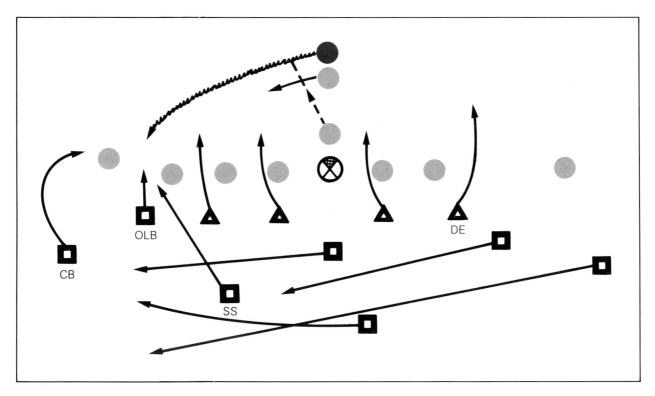

Commentaire : les DLM « pénètrent » par la gauche de leur vis-à-vis, sauf le DE droit qui « ferme la boîte » en prévention d'un éventuel jeu renversé ; le CB gauche attaque le RB par l'extérieur (« containment »), le SS et l'OLB gauches l'attaquent directement ; les autres défenseurs effectuent des poursuites en cas d'insuccès de leurs partenaires.

LA DÉNOMINATION DES JEUX :
LES CODES

◀ DÉNOMINATION DES JEUX
OFFENSIFS

■■■ Dénomination des jeux au sol : il existe, bien sûr, différents systèmes d'appellation des jeux, adaptés aux différents « systèmes de jeu » des équipes. Celui qui est présenté ici, d'ailleurs largement employé, a été retenu pour sa grande simplicité de lecture.

— Installons, par exemple, une formation ouverte, côté fort droit, et, dans un premier temps, numérotons les espaces existant entre les joueurs de ligne auxquels nous assimilerons le FLB : appelons « trou 0 », « trou 1 », etc., ces espaces ainsi localisés :

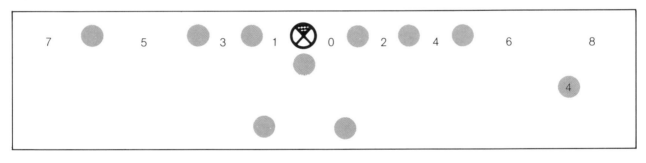

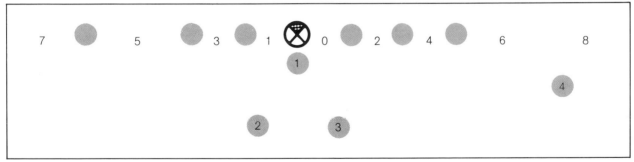

N.B. Pour faciliter la mémorisation de l'emplacement des « trous », nous avons choisi d'affecter de numéros pairs les espaces situés à la droite du centre, et de numéros impairs ceux situés à sa gauche.

— Dans un deuxième temps, numérotons les « arrières » susceptibles de porter le ballon : le QB devient le 1, le HB le 2, le FB le 3 et le FLB le 4.

Nous allons maintenant utiliser ces deux séries de numéros pour constituer des nombres à deux chiffres, dont le chiffre des dizaines représentera le numéro de l'« arrière » chargé de porter le ballon, et celui des unités le numéro du « trou » à travers lequel doit se mener la charge. Ainsi si le HB (n° 2) est appelé à porter la balle à travers l'espace compris entre le RT et le TE (« trou » n° 4), le nom du jeu sera un « 24 » ; si le QB « plonge », balle en main, entre le C et le LG, il jouera en fait un « 11 » ; si le FB déborde sur le côté faible, à l'extérieur du SE, on aura un « 37 », etc.

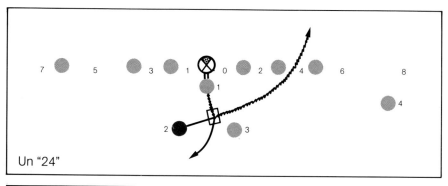

Un "24"

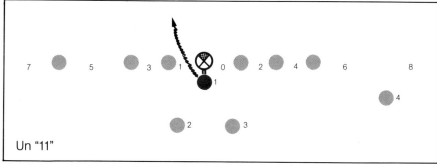

Un "11"

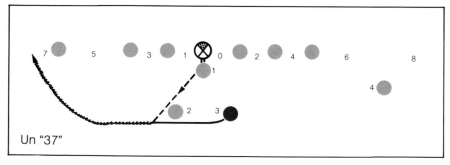

Un "37"

Dans la majeure partie des cas, l'appellation complète du jeu sera constituée du nombre de localisation avec lequel nous venons de faire connaissance, assorti d'une locution caractérisant le style de l'exécution de la tactique.

Si, par exemple, les deux RB s'engouffrent dans le même « trou », le premier ayant pour tâche de bloquer, et le deuxième de porter le ballon, on parlera souvent de jeu « en force » (« power play »).

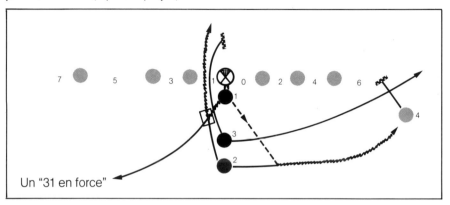

Un "31 en force"

Dans le cas d'un jeu précédé d'une passe arrière, un « 26 », par exemple, on parlera d'un « 26 passe arrière » (ou « 26 pitch »).

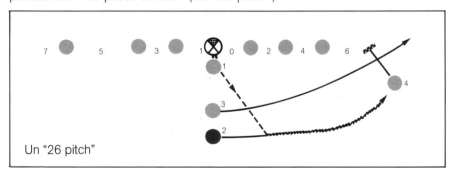

Un "26 pitch"

Dans le type de jeu suivant, où l'un des RB feint de recevoir le ballon pour se précipiter et attirer la défense loin de la charge réelle qui croise sa route initiale, on pourra parler du jeu « en croix » ou de « cisaille »...

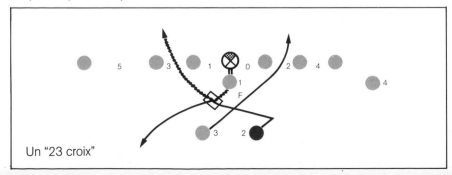

Un "23 croix"

L'efficacité de ces appellations qui enrichissent les renseignements essentiels fournis par le nombre à deux chiffres, dépend, en fait, de la créativité et de la précision du vocabulaire des entraîneurs.

◀ DÉNOMINATION
DES JEUX AÉRIENS

Bien que chaque équipe élabore ses « tracés » particuliers, il existe une base commune de « tracés » fondamentaux à partir de laquelle toute formation offensive construit un jeu aérien : voici donc un répertoire, non exhaustif, des grands classiques.

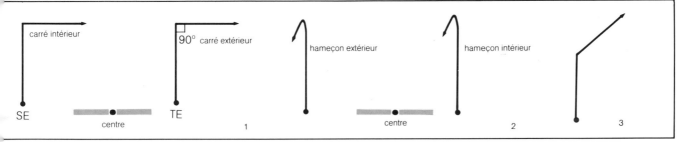

1. *Le carré intérieur ou extérieur (« square in » ou « out »)*
2. *L'hameçon intérieur ou extérieur (« hook in » ou « out »)*
3. *Le biais (« slant »)*

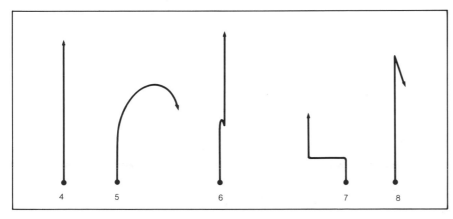

4. *Le tout droit (« go » ou « fly »)*
5. *La boucle (« curl »)*
6. *La combinaison hameçon et « tout droit » (« hook and go »)*
7. *La combinaison carré extérieur et « tout droit » (« sideline and up »)*
8. *Le retour (« come-back » ou « hitch »)*

95

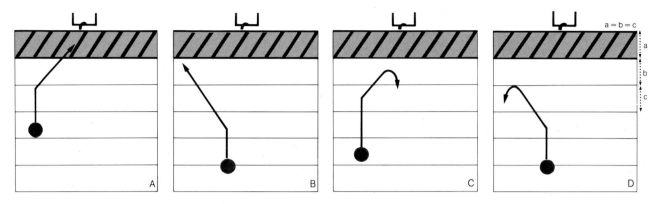

A. Le « vers les poteaux » (« post »)
B. Le « vers le coin » (« corner » ou « flag »)
C. La combinaison « vers les poteaux » et boucle (« post and curl »)
D. La combinaison « vers le coin » et retour (« flag and come-back »)

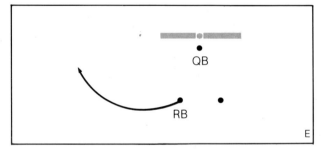

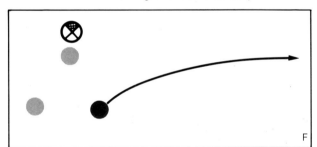

Nous citerons pour finir deux « tracés » spécifiques des RB, utilisés comme receveurs supplémentaires :

E. La courbe (« loop »)
F. Le « à plat » (« flat »)

Ci-contre : réception de passe avant.
Page ci-contre : le QB se prépare à lancer, protégé par un bloqueur.

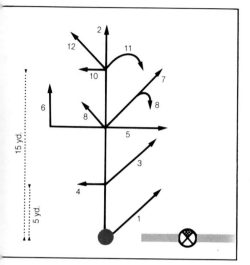

■ Dénomination globale des jeux aériens

Un jeu de passes avant implique généralement au moins 3 receveurs, qui courent des « tracés » complémentaires. Si nous reprenons l'exemple du diagramme de début de chapitre, nous pouvons nommer maintenant le « tracé » de chaque receveur, et dire que le SE fait un « biais extérieur », que le TE réalise un « tout droit » et que le FLB fait un « biais extérieur » de son côté.

Il est évident que nul QB ne pourra annoncer tout cela au cours d'un « huddle », sans risquer de dépasser le temps qui lui est imparti : il lui faudra utiliser une appellation rapide et synthétique de la triple combinaison de tracés ; deux systèmes sont principalement en vigueur :

■ Le système de « l'arbre de tracés » :
l'équipe qui l'emploie dessine un arbre sans feuilles, dont les branches sont autant de « tracés », ceux qu'elle utilise, chacun d'entre eux étant affecté d'un numéro :

EXEMPLE :

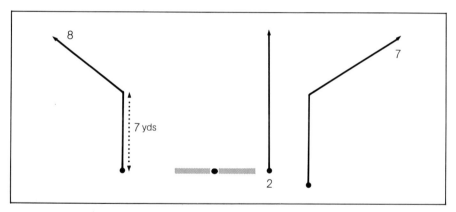

Il ne reste plus qu'à annoncer le jeu en question par la succession des 3 numéros affectés aux 3 « tracés » concernés, après avoir seulement décidé, par exemple, que les 3 receveurs impliqués dans le jeu étaient toujours sollicités de la gauche vers la droite. Concrètement, notre jeu de référence se nommera un « 8-2-7 » dans le cadre de ce premier système.

■■■ **Le système des appellations imagées :** ce système, moins précis peut-être, mais plus souple et moins abstrait que le précédent, consiste à affecter globalement d'un nom de chose le jeu, en fonction de ce que peut évoquer le dessin des « tracés » combinés. Par exemple, le jeu de référence pourrait très bien être désigné sous le nom d'« Eventail » ; le QB peut se réserver alors la possibilité de commander, conjointement à l'appellation du jeu, la profondeur (la distance de la ligne) à laquelle il souhaite que les receveurs fassent leur changement de direction, leur « cut ». Exemple : « éventail — 7 yards » :

Le jeu suivant pourra s'appeler « vague droite — 5 yards »

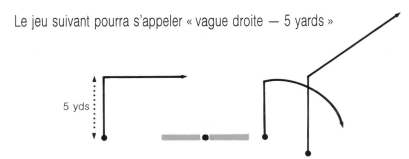

5 yds

Les exemples pourraient être multipliés ; la justesse des images employées aura comme sanction la rapidité et la sûreté de la mémorisation de leur « cahier de jeux » par les receveurs...

TACTIQUE OFFENSIVE

(à l'exclusion du jeu au pied)

LES GRANDS TYPES DE FORMATIONS OFFENSIVES

Le positionnement relatif des attaquants, préliminaire au déclenchement de l'action, s'appelle la formation offensive. Il en existe de nombreux types, dont la variété est conditionnée par la variété des objectifs tactiques. De plus, ce positionnement doit respecter, principalement, trois points du règlement :
— 7 joueurs au moins doivent se placer sur la « ligne » ;
— seuls les joueurs des extrémités de la « ligne » (les « ends ») et les arrières sont « éligibles », c'est-à-dire ont le droit de recevoir des passes avant ;
— après l'immobilisation qui prélude à l'appel des codes et au signal de départ du QB, seul 1 arrière a le droit de se mettre en mouvement (« motion ») avant le « snap », et ce, sans se rapprocher de la ligne de scrimmage.

■■■ **Types de formations susceptibles de favoriser le « jeu au sol » :** ce sont des formations à « 3 RB », éloignés de la ligne de scrimmage (de 3 à 6 yards). La menace au sol est diversifiée, puisque 4 joueurs (avec le QB) peuvent porter la balle ; en outre, les feintes, croisements, renversements de jeu, sont possibles en grand nombre. Le plus souvent, les 2 ailiers sont « rapprochés » (double TE).
— Exemples de formations symétriques (la menace pèse également sur les deux ailes).
Formation en T (le T dessiné par le positionnement des arrières est, en fait, renversé).

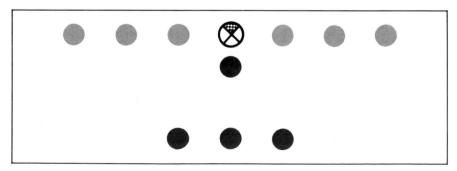

Formation en I

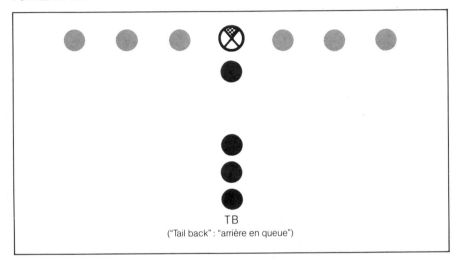

TB
("Tail back" : "arrière en queue")

Formation « wishbone » : (le « wishbone », littéralement : « os à vœux », est ce petit os de volaille en forme de fourchette à deux dents).

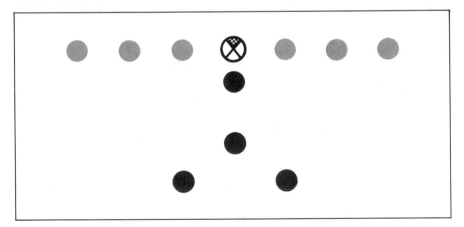

— Exemple de formation dissymétrique (la menace pèse plus sur une aile).
Formation en I plus HB *décalé*

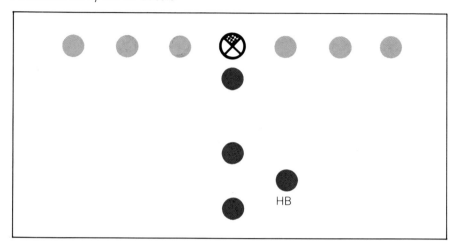

■ Types de formations susceptibles de favoriser le jeu aérien : ce sont des formations utilisant 4 voire 5 receveurs : aux 2 ailiers (le plus souvent un TE et un SE) viennent s'ajouter 2 ou 3 arrières, spécialistes de la réception de passes, qui prennent des positions à la fois éloignées du centre et rapprochées du prolongement de la « ligne » (nous rappelons que si les 10 partenaires du QB s'installent « sur la ligne », seuls les 2 joueurs des deux « bouts » seront éligibles).
— Exemple de formation à 4 receveurs et 1 RB : la formation à deux ailes :

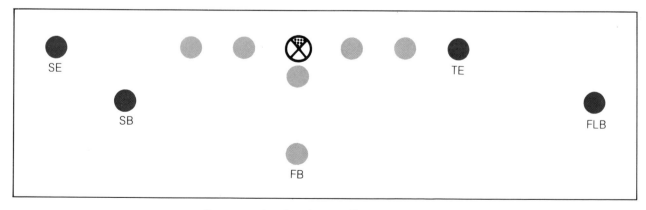

Commentaire : les deux arrières receveurs sont le FLB et le SB, ou « slot back » : arrière inséré.

— Exemple de formation à 5 receveurs : la formation étalée.

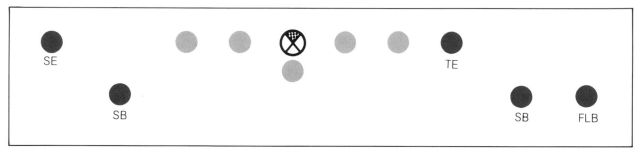

Commentaire : 1 FLB, 2 SB.

■■■ **Types de formations polyvalentes :** ces formations, qui alignent 2 RB et 3 receveurs, présentent l'énorme avantage de menacer la défense adverse aussi bien au sol que par la voie aérienne : elles sont favorables, par conséquent, à la réalisation des combinaisons les plus variées, et il n'est pas étonnant de constater qu'elles sont, de nos jours, les plus employées au meilleur niveau.

Les deux d'entre elles les plus usitées sont :

— la formation ouverte (« open set ») avec flanqueur, déjà présentée au chapitre 2. On peut la rencontrer avec les RB positionnés en I :

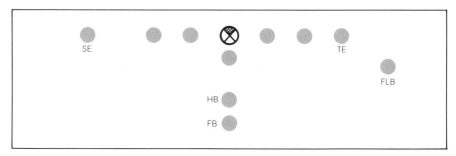

On peut la rencontrer avec les RB en position « écartée » :

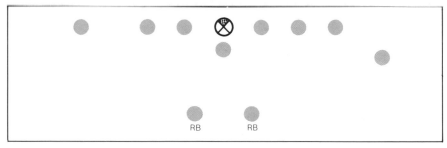

On peut la rencontrer avec le HB décalé du côté faible :

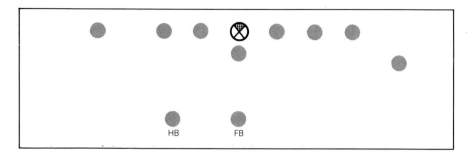

ou du côté fort :

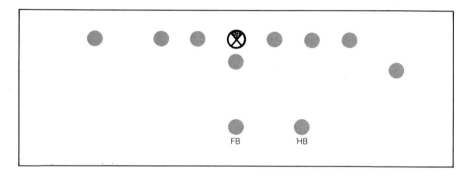

— La formation ouverte avec arrière inséré (« slot formation »). On la rencontre aussi avec différents positionnements des RB :
exemple avec RB en I :

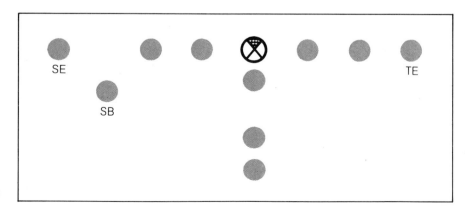

exemple avec RB *écartés :*

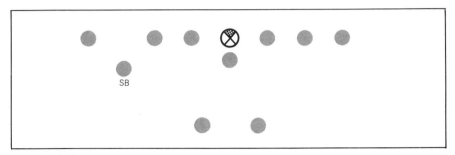

Formations particulières

— Formation « coup de fusil » (« shotgun formation ») : elle permet un déclenchement rapide du jeu de passes, par le fait que le QB, positionné environ 6 yards derrière sa « ligne », reçoit la balle par un « shotgun » du C, et peut lancer directement, sans avoir à se déplacer.

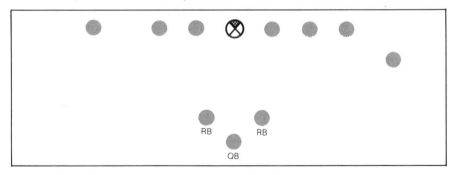

— Formations avec centre décalé : le surnombre d'OLM d'un côté favorise certains jeux au sol en puissance, ou certaines passes « écrans » latérales.
1er exemple : formation « double garde » droite :

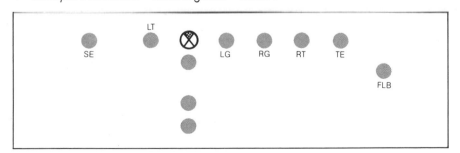

2ᵉ exemple : formation « ligne décalée à droite » :

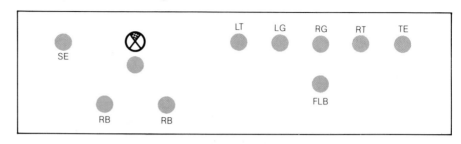

Ci-contre : **le 70 du Spartacus protège la course du porteur de ballon 47 de la charge du 40 des Météores.**
Page ci-contre : **le 33 des Anges bleus court derrière une belle « protection ».**

■ **L'« homme en mouvement » (« man in motion »)** Pour déstabiliser la défense, on peut utiliser le déplacement d'un joueur qui, pendant le « décompte » du QB, va, par exemple, permettre de transformer le « côté fort » en « côté faible » et réciproquement.

Exemple (fréquemment rencontré) : le « slot back », positionné initialement à gauche, va courir vers la droite, pour s'établir comme flanqueur, avec « côté fort droit » au moment du « snap » :

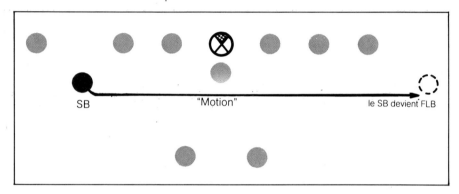

En guise de conclusion de ce paragraphe : il existe des dizaines de variantes aux formations que nous venons de présenter, et des milliers de variantes potentielles. L'évolution de ces formations est, bien sûr, intimement liée à celle de la nature du jeu, et le développement de l'importance du jeu aérien à l'époque moderne a largement bouleversé les vieilles habitudes, en sécrétant l'avènement de positionnements de plus en plus ouverts, aérés. Gageons que le développement incessant de la qualité des athlètes, ainsi que l'imagination des théoriciens et des entraîneurs, nous réserve pour le futur encore bien des surprises.

LES GRANDS TYPES DE JEUX

LES JEUX AU SOL ▶

■ **Jeux simples**

Une attaque peut manquer d'ingéniosité, mais il faut qu'elle soit menée avec la vitesse de l'éclair (Sun Tzu, *L'Art de la guerre* Ve av. J.-C.).

Ce sont des jeux qui font appel à la vitesse et à la puissance, à la réalisation efficace des techniques de base (blocages, courses, transmissions de balle...), sans sophistication ; ils visent à obtenir des gains courts, mais sûrs, tout en « fixant » la défense.

— 3 exemples : formation ouverte, côté fort gauche :

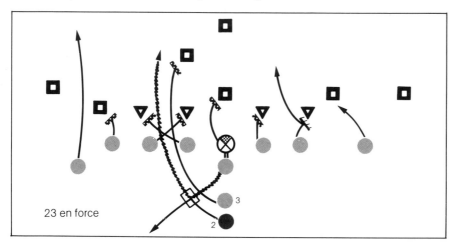

23 en force

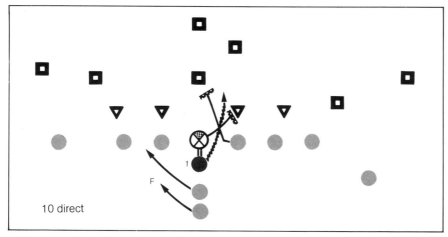

10 direct

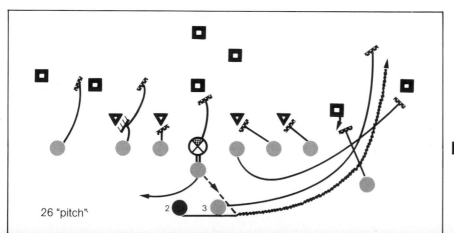

26 "pitch"

■ Les jeux avec feinte (s).

Ne vous jetez pas goulûment sur les appâts qui vous sont offerts : tout l'art de la guerre est basé sur la duperie (Sun Tzu, *L'Art de la guerre*).

Jeu avec feinte simple.

— exemple : « 32 avec feinte de 23 » :

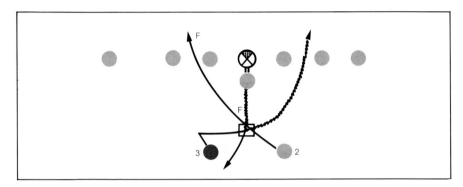

Commentaire : le QB feinte de remettre la balle au RB n° 2 qui, tout en simulant un transport de ballon, fonce au « trou 3 » pour attirer les défenseurs : le QB, qui a caché la balle un bref instant, la remet alors au RB n° 3 qui charge dans le « trou 2 ».

Jeu avec feinte collective (feinte de jeu au sol).

Dans ce type de jeu, un nombre important d'attaquants se comportent, dès le « snap », comme si l'action allait se développer vers un endroit bien précis du terrain, où l'on tente d'attirer la défense, alors que la balle va être convoyée ailleurs (« misdirection plays ») ; les deux grandes illustrations en sont :

— les « jeux renversés » (« reverses »),

— les « contres » (« counters »).

La différence entre ces deux catégories réside dans le fait que, dans le cas du « reverse », la balle est, dans un premier temps, réellement transportée dans la direction trompeuse, alors que dans le cas du « counter », ce transport est seulement suggéré par un déplacement de joueurs : le « reverse » est un enchaînement de deux actions en sens contraire, alors que le « counter » est une « confusion » au cours de laquelle seule *une apparence* doit déclencher une réaction de la défense que l'on veut prendre à « contre-pied ».

— Exemple de « jeu renversé » :

Commentaire : le QB passe la balle au RB n° 2 qui court vers la droite et transmet main à main la balle à son tour au FLB qui fonce alors vers la gauche (cette action évoque la fameuse « passe croisée » du rugby).

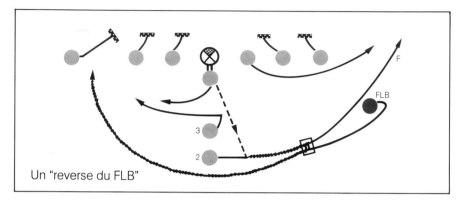

Un "reverse du FLB"

— Exemple de « contre » :

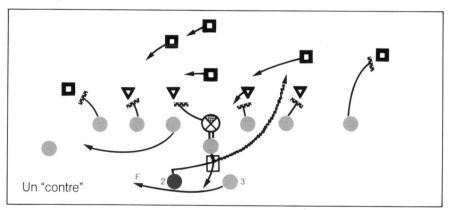

Un "contre"

Commentaire : le QB tend le ballon au RB n° 3 par sa gauche, suggérant, grâce aux déplacements du LG, du RB n° 2 et aux blocages du FLB et du LT, une charge vers le « trou 5 », alors qu'en fait le RB n° 3 s'empare de la balle pour foncer vers le « trou 2 ».

Jeux au sol préparés par une feinte collective de jeu de passes avant (« draws »). Dans ce type de jeu, la formation offensive, dans son ensemble, se comporte dès le « snap » comme si elle déclenchait les opérations pour un jeu de passe, afin d'éparpiller la défense, faire reculer les LB et le « backfield adverse », et finalement lance une course de RB dans un espace dégarni.

Commentaire : au « snap » les receveurs et le RB n° 2 partent selon des « tracés » pour passes avant, les OLM prennent l'attitude globale de la « protection de passe » puis tentent de chasser les « rushers » adverses loin du « trou 2 » ; le QB recule en montant la balle à son oreille, comme s'il s'apprêtait à lancer, puis, lorsqu'il arrive à la hauteur du RB n° 3 qui faisait semblant de préparer un blocage, il lui glisse le ballon, et celui-ci démarre immédiatement vers le « trou 2 ».

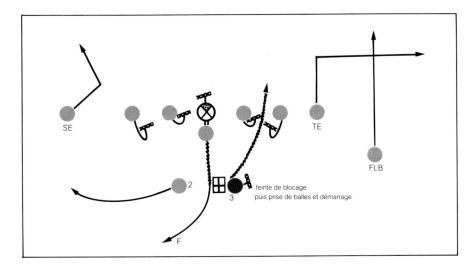

■■■ **Les jeux à options (« option plays ») :** dans ce type de jeux, subtil, plusieurs possibilités de courses (2 ou plus) sont envisagées : le choix est réalisé pendant l'action, en fonction des réactions défensives. Certains jeux complexes à triple option peuvent inclure une première alternative de deux possibilités de courses, à laquelle vient s'ajouter une autre alternative : la poursuite de la deuxième possibilité de course ou le déclenchement d'une passe avant.
— Quelques exemples simples :

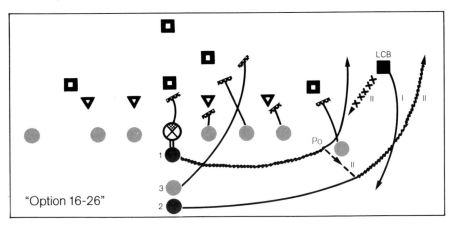

"Option 16-26"

Commentaire : dans ce cas de figure, les deux possibilités envisagées sont soit une course « 16 » du QB, soit une course « 26 » du HB, après une passe arrière du QB ; c'est le comportement du CB gauche (LCB) qui va déterminer le choix du QB : si le LCB (« option man ») reste extérieur au HB pour réaliser le « containment », le QB choisit l'option I, c'est-à-dire le « 16 » ; si le LCB charge directement le QB, celui-ci choisit l'option II et passe au HB au point Po.

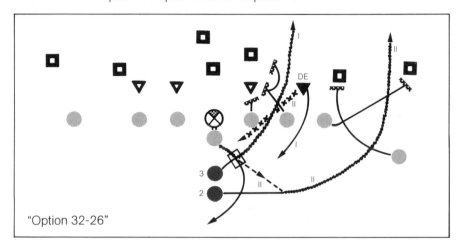

"Option 32-26"

Commentaire : l'« option man » est le DE du côté droit de l'attaque : selon son type de pénétration, le QB donne la balle au FB pour un « 32 » ou au HB pour un « 26 ». De toute manière, dès le « snap », les deux RB courent vers leur « trou » respectif. Le « 32 » est l'option I, le « 26 » est l'option II.

◄ LES JEUX AÉRIENS

■■■ **Passes avant « classiques » :** elles sont délivrées par le QB après un recul de celui-ci derrière sa « poche de protection », ou en enchaînement d'un « shotgun » du C au QB. Elles visent des gains plus ou moins longs, en fonction de l'objectif tactique du moment, ces gains pouvant atteindre des 50, 60 yards ou plus par le truchement des fameuses « bombes » si prisées du public. Les chances de réussite (de « complétion » des passes) sont, bien sûr, inversement proportionnelles à la longueur du gain recherché.

— Exemples de jeux de passes (« tracés » combinés)
Pour un gain court (de 3 à 7 yards).

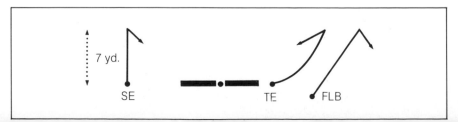

Pour un gain moyen (de 8 à 20 yards).

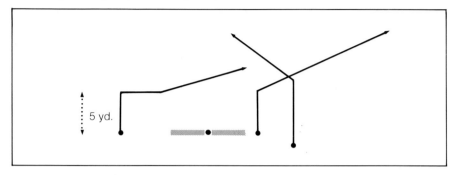

Pour une « bombe » à long gain.

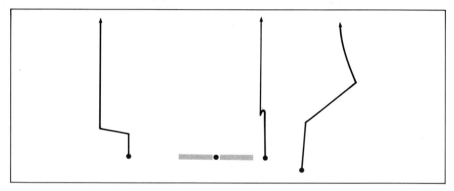

■■■ Passes avant avec déplacement latéral du QB : pour offrir une cible mouvante aux charges des défenseurs et pour déstabiliser leur système de jeu, le QB choisit parfois de lancer après un net déplacement latéral, ou même au cours d'un tel déplacement.

— 1er exemple : il court rapidement en ligne droite, vers la gauche, « plante » ses appuis et déclenche sa passe (« sprint out »).

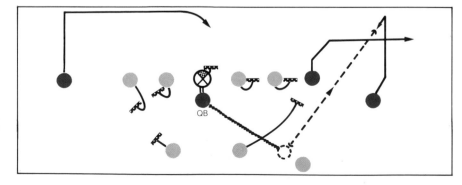

— 2e exemple : le QB court vers la droite, derrière la protection d'un RB, en suivant une trajectoire curviligne, et en menaçant la défense adverse d'une course de débordement ; il lance en courant (« roll out »).

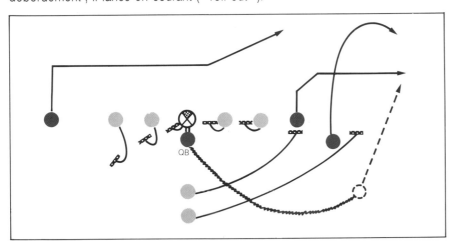

■■■ La passe-éclair (« pro pass ») : un receveur, désigné dans le « huddle », fonce dès le « snap » sans feinte ni « cut » dans un espace laissé libre par la défense, et reçoit une passe ultra rapide du QB, qui n'a fait qu'un pas de recul derrière « sa ligne ».

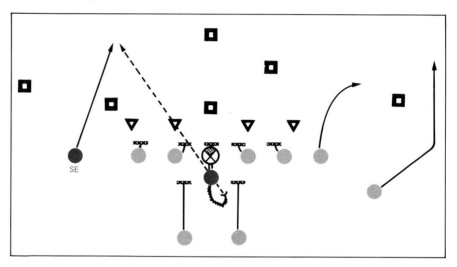

■■■ La passe-écran (« screen pass ») : une terminologie plus descriptive pourrait être « passe derrière un écran » : en effet, dans ce type de passe, le joueur à qui est destinée la passe se place légèrement en retrait de la ligne de scrimmage, derrière un « écran » de partenaires, généralement des LM, chargés de lui ouvrir le passage dès qu'il a reçu le ballon. Dans le cas d'une « screen pass » classique, les OLM chargés de constituer l'écran bloquent passagèrement après le « snap » leurs vis-à-vis de la défense, puis les laissent se ruer vers le QB qui a entamé son recul.

Ils se déplacent alors ensemble, rapidement et avec cohésion, jusqu'à l'endroit où ils doivent constituer l'écran derrière lequel le receveur viendra réceptionner le ballon. Le QB doit lui envoyer ce ballon alors que les DLM, qui l'ont chargé sans résistance, sont à un doigt de le « saquer ». Le destinataire de la passe peut être, selon le jeu, un receveur ou un RB.

Ce type de passe est utilisé pour prendre à contre-pied des « linemen » défensifs aux charges « anti-passes » puissantes et systématiques.

— Exemples de « passe-écran » latérale droite :

L'écran latéral droit est ici constitué (après 1 seconde de bloquage) par le centre, le garde et le bloqueur droit.

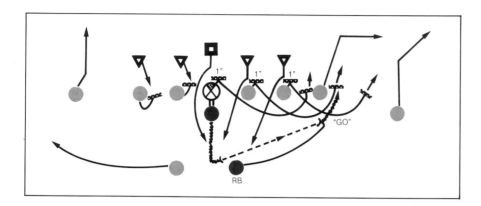

Les passes aux RB : lors des jeux de passes avant, les RB peuvent être appelés à courir des « tracés » de receveurs potentiels comme n'importe quel TE, SE ou FLB : exemple : utilisation du HB comme receveur :

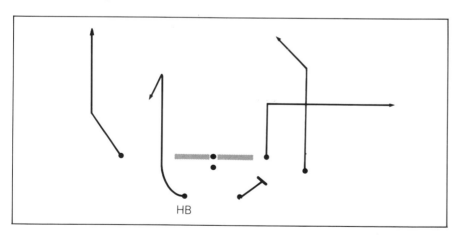

Mais dans le jeu de passes, en dehors des blocages, leur rôle prédominant consistera à effectuer ce que l'on appelle des « soupapes de sécurité » (« safety valves ») : ce sont des « tracés » latéraux, généralement arrondis, destinés à offrir une solution de secours au QB quand ses receveurs (cibles principales) sont couverts par les défenseurs, et que lui-même est directement menacé par le « rush » adverse. Ces « safety valves » peuvent soit être prévues dès le « huddle », soit déclenchée à l'initiative du RB concerné, quand la situation lui semble favorable (par exemple, quand il se retrouve sans tâche de blocage à accomplir, ou que le QB est en situation délicate, contraint de se débarrasser du ballon au plus vite).

— Exemple : « soupape » droite du FB :

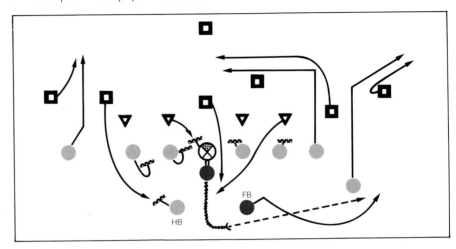

■ **La passe avant après feinte de jeu au sol (« play-action pass ») :** ce type de jeu, très efficace, est le pendant du « draw », présenté dans le sous-chapitre précédent. Le QB tente de « fixer » près de la ligne de scrimmage les LB et les DB adverses, en feintant avec les RB un échange de balle et un jeu au sol ; il cache un bref instant la balle aux yeux de la défense, et déclenche la surprise d'une passe avant en direction d'un des receveurs, qui a pu mettre à profit l'hésitation de la défense pour se démarquer.

— Exemple : feinte de 20 « en force », et passe au SE :

Certains jeux, qui impliquent la mise en œuvre soit d'enchaînements de gestes à difficulté technique majeure, soit de pièges aussi subtils qu'inattendus, peuvent offrir à l'équipe qui sait les utiliser avec discernement le gain de terrain substantiel ou le « touchdown » surprise, susceptible de retourner le sort d'une partie. Ces jeux, selon leur nature respective, ne seront utilisés qu'une ou deux fois par match, voire par... saison ; ils n'en constituent pas moins un type de tactique(s) que toute équipe conséquente, soucieuse de pouvoir se sortir de situations délicates, doit intégrer à son « cahier de jeux » et travailler à l'entraînement.

En voici quelques exemples :

■■ **Le double « quarterback » :** le QB adresse un « pitch » à un RB, bon lanceur, qui feinte de courir un débordement pour fixer la défense et, en fait, adresse une longue passe avant à un receveur.

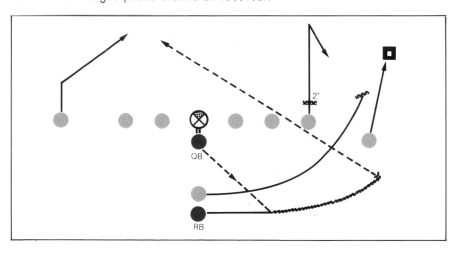

■■ **Jeux à ballon caché :** un joueur reçoit le ballon, dans une confusion créée immédiatement après le « snap », et reste quelques (longues) secondes immobile en le dissimulant contre son ventre, pendant que ses partenaires feintent une charge qui s'éloigne de lui. Dès qu'une partie de la pelouse s'est dégagée, il y dirige vivement sa course.

Une variante classique de ce type de jeu est le « bootleg » du QB : le QB feinte de remettre le ballon à un RB qui mime avec l'ensemble de ses coéquipiers un débordement vers la droite, par exemple ; le QB, tourné vers la gauche, cache la balle derrière sa cuisse gauche, éloignée des défenseurs, et tout en marchant (apparemment avec tranquillité), fait mine de suivre des yeux le RB qui est censé être en possession du ballon ; dès qu'il estime que la défense s'est suffisamment décalée sur la droite, il accélère alors brutalement pour courir un débordement par la gauche.

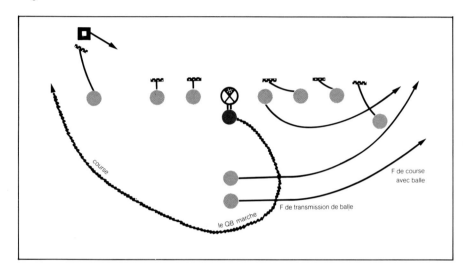

■ **Jeux avec enchaînement de passes arrière :** quelques coéquipiers du porteur de balle, au lieu de « bloquer » pour lui, s'alignent « en profondeur » sur son extérieur, à l'instar des trois-quarts au rugby, et, grâce à une succession de passes arrière et latérales, développent une attaque par débordement collectif.

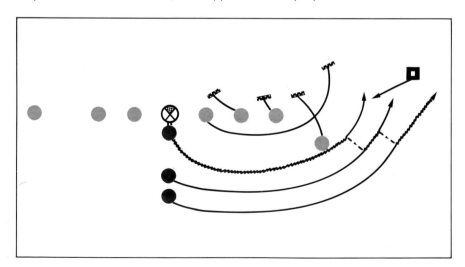

■■■ Jeux par enchaînement d'une passe avant et d'une passe arrière (« pass and pitch ») : le QB adresse une passe courte au receveur A, qui fixe les défenseurs et lance immédiatement à son partenaire B qui vient croiser sa route.

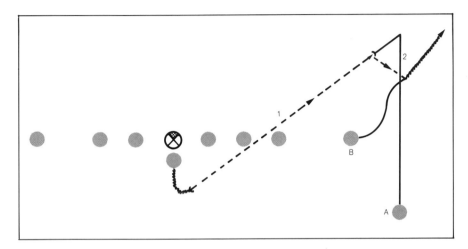

■■■ « Snap » direct du centre à un RB : le QB se positionne comme pour recevoir un « shotgun » du centre préparatoire à une passe avant, et, en fait, le C envoie la balle directement à un RB qui fonce immédiatement vers son « trou ».

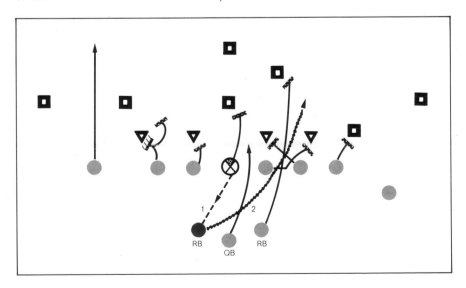

121

■■■ Jeux fondés sur une feinte de blessure ou de maladresse : dans ce type de « coup de bluff », typique du football universitaire, les qualités de comédien du joueur chargé de la feinte sont prépondérantes ; ces tactiques, utilisées très rarement, mais pittoresques en diable, peuvent donner lieu à des essais stupéfiants.

Un exemple : le SE, très écarté, fait mine de se claquer un muscle, au moment de son démarrage, lors d'un jeu de passes ; il stoppe sa course et grimace de douleur en se tenant la cuisse ; si le défenseur, chargé de le marquer, relâche complètement son attention, il peut alors foncer librement vers la ligne de but adverse et recevoir une passe décisive.

Suite, mais non fin : il existe des dizaines et des dizaines de jeux fondés ainsi sur le funambulisme technique ou le « bluff », et pour ce qui concerne cet aspect du FA encore, il est impossible d'être exhaustif dans le cadre d'un ouvrage d'ordre général. Citons quand même, pour conclure, les feintes de jeux au pied (« punt » ou « field-goal ») mués au dernier moment en passes avant ou courses de débordement ; et rappelons que, comme pour ce qui concerne les longues passes avant, les jeux que nous venons d'évoquer, dans ce paragraphe, sont à haut risque d'échec : c'est le prix à payer pour les brillants succès qu'ils peuvent engendrer.

LE CHOIX TACTIQUE OFFENSIF

Une équipe a donc, avant chaque action de jeu, la possibilité de choisir entre différents « coups » tactiques, plus ou moins variés et nombreux, selon la richesse du « cahier de jeux ». Le coup choisi, encore faudra-t-il l'exécuter correctement, malgré l'opposition : ainsi, ce choix devra tenir compte, non seulement de l'adéquation du jeu envisagé à la situation sur le terrain, et des divers paramètres qui déterminent cette adéquation, mais aussi des « chances » de réussite de l'exécution du jeu en question. Tout bon tacticien sera d'une façon ou d'une autre un bon statisticien ; toute bonne équipe, afin d'améliorer son efficacité au cours d'une saison, tient des statistiques précises des gains de terrain réalisés lors de chaque rencontre, non seulement par types de jeux, mais aussi par joueurs exécutant(s) ; à un haut niveau, l'ordinateur fait, de plus en plus, partie intégrante du « coaching staff ».

Une fois posé que les différences de style de jeu de chaque formation, liées aux facteurs humains d'exécution, font qu'il n'y a jamais, ou presque, dans une situation de match précise, de choix tactique qui puisse être présenté comme le « bon choix » universel, unique, définitif, il faut tout de même dire que les paramètres principaux du jeu déterminent des situations face auxquelles certains comportements tactiques sont plus fiables, vraisemblables, efficaces, que d'autres ; il nous reste à les examiner.

▬ Le « contrat » : en dehors des situations exceptionnelles où une équipe peut être amenée à tenter de « marquer » immédiatement, à tout prix, ou de celles où elle doit « geler » la balle (voir p. 131), le premier objectif de son escouade offensive sera de conserver la possession du ballon, c'est-à-dire de réussir les progressions nécessaires à la réalisation de « premières tentatives ». Il s'agit donc concrètement d'échelonner, sans prendre de risques inutiles (interceptions ou récupérations de la balle par la défense), la fameuse progression de 10 yards, sur 3 « downs », afin de pouvoir se réserver le secours du 4e pour botter un coup de pied de dégagement, en cas de difficulté. Le « contrat » officiel et courant au début d'une poussée offensive (« drive »), à savoir 1er « down » à jouer et 10 yards à parcourir, doit se comprendre tactiquement comme « 10 yards à parcourir en 3 jeux » ; si une progression de 4 yards a été effectuée, par exemple, lors de la 1re tentative, le « contrat » à réaliser alors sera tactiquement de « 6 yards à parcourir en 2 tentatives » (règlementairement : 2e down et 6 yards, soit, en fait, 3 tentatives encore à jouer). Dans les conditions « normales » de jeu, c'est la nature de ce « contrat » qui doit influencer, de façon déterminante, le choix tactique.

Au 1er « *down* » avec 10 yards à parcourir, on choisira le plus souvent un jeu sûr, bien maîtrisé, bien rodé par l'équipe, et ne présentant pas de difficulté technique majeure : il s'agit avant tout de garder le ballon et de mettre l'escouade offensive en confiance, quitte à viser un gain moyen (de 3 à 5 yards) ; un jeu à feinte simple « dans la ligne » peut faire l'affaire, aussi bien qu'un débordement « en force », ou qu'un modeste jeu de passes avant, rapide et court. Toute règle n'ayant de valeur que pour être transgressée, on pourra aussi de temps en temps, rarement, tenter de cueillir « à froid » la défense, par un jeu à long gain visant le « touchdown » surprise, et le K.-O. psychologique de la formation adverse (« bombe » ou jeu de débordement sophistiqué).

Au 2e « *down* », le choix tactique sera, bien sûr, conditionné par la réussite du jeu précédent :

Ci-dessus : **un « huddle » des Hurricanes de Paris.**
Pages suivantes :
A gauche : QB **cherche receveur libre de suite.**
Au milieu : **Spartacus-Challengers, choc de consciences.**
A droite : **Anges bleus-Rams Amsterdam, sport de contact ou sport de collision.**

125

— en cas de progression correcte, sans plus, lors du 1er « down », nous voilà maintenant avec un « contrat » de 2e « down » et 6 ou 7 yards à parcourir. Dans cette situation encore, il sera raisonnable de choisir un jeu modeste mais sûr permettant d'aborder le 3e « down » sans avoir gâché ses chances ;

— en cas de 1re tentative médiocre, voire mauvaise (gain très court ou même perte de terrain), il faudra puiser dans des jeux plus ambitieux, visant une dizaine de yards de progression, pour rétablir l'équilibre : passes « moyennes », débordements rapides avec « pitch » et décrochages de LM, jeux relativement complexes (« reverses », « counters », « screen passes »...) ;

— en cas de bonne progression lors du 1er « down », offrant un « contrat » de 2e « down » et de 1 à 3 yards à parcourir, deux attitudes peuvent prévaloir : la première, sage et réaliste, consiste à profiter de la situation pour « réaliser » immédiatement « le 1er down », ou au moins s'en approcher à quelques centimètres, en choisissant un jeu à court gain mais, en principe, très sûr : un jeu au sol solide, puissant, « basique », « dans la ligne », par exemple ; la deuxième, plus aventureuse, mais plus brillante, consiste à se conduire comme si la situation offrait une tentative « supplémentaire » (que les Américains appellent l'« extra-down ») que l'on va tenter — au risque, sans grave conséquence, de la gâcher — de transformer en une progression spectaculaire grâce à un jeu ambitieux (jeux à feintes complexes, longues passes...).

Au 3e « down », si l'on arrive jusque-là, les données du problème sont, d'une certaine façon, fort claires : il reste une tentative pour « réaliser la 1re tentative », et le « coup », comme l'on dit en langage échiquéen, est très souvent « forcé » :

— dans le cas où la progression combinée des deux premières tentatives a été forte, le choix est simplifié, et, avec un « contrat » de 3e « down » et 1 yard (ou moins) à parcourir, on choisira un jeu d'exécution simple mais rapide, fondé sur des blocages basiques mais puissants, faciles à utiliser par le porteur de balle, avec des échanges de balle réduits au minimum : une infiltration de QB (« QB sneak ») ou un « plongeon » de FB (« dive ») pourront être, par exemple, des armes efficaces ;

— dans le cas contraire, où la progression précédant le 3e « down » a été médiocre, nulle ou carrément négative, le choix aussi est fort simple, même si l'exécution du jeu qui en résulte l'est nettement moins : pour des « contrats » de 3e « down » et 8, 9, 10 yards ou plus à réaliser, le QB est pratiquement contraint à la passe avant, qu'il devra réaliser à la profondeur, au moins, nécessitée par le « contrat », et ce, sans se faire intercepter par les défenseurs qui, ça va de soi, l'« attendent » sur ce terrain ;

— dans le cas, enfin, où la progression antérieure a été moyenne (« contrat » de

3e « down » et de 3 à 5 yards), la variété de choix sera, par contre, relativement étendue, et celui-ci dépendra, dans une large mesure, de ce que le meneur de jeu aura pu déceler comme faiblesse dans le jeu défensif au cours des tentatives précédentes ; dans ces situations de 3e « down », où l'enjeu est toujours très important, et les escouades défensives très vigilantes, il peut être décisif pour les attaquants de posséder *un jeu varié*, susceptible de surprendre les défenseurs par un *changement radical de style (du jeu au sol au jeu aérien,* ou d'un jeu en puissance à un jeu de feintes...) : il en résultera souvent la réussite de la transformation de ce qui aurait pu être un délicat 4e « down », en un triomphant 1er « down », heureuse alchimie de ce que l'on appelle outre-Atlantique « the third down conversion ».

Au 4e « down », si par malheur, pour la formation offensive, on en arrive là, la logique du jeu commande de recourir, dans l'écrasante majorité des cas au coup de pied de dégagement (« punt »), qui certes, en principe, prive l'équipe qui l'emploie, de la possession du ballon pour un moment, mais au moins, reporte la menace de la prochaine poussée offensive adverse, le plus loin possible près de sa propre ligne de but. Comme exceptions à cette règle élémentaire de prudence, il convient de citer :

— le recours au coup de pied au but (« field-goal »), pour tenter de marquer 3 points, quand l'endroit où doit se jouer le 4e « down » n'est pas trop éloigné des buts adverses, relativement à la puissance du botteur (de 25 à 60 yards, selon les niveaux) ;

— la réalisation d'un « plongeon » du QB ou du FB, pour réussir le 1er « down », quand il ne reste vraiment que quelques centimètres à parcourir, que la puissance de la ligne offensive est supérieure à celle de la ligne défensive, et que l'action n'est pas rapprochée des buts de l'équipe à l'attaque ;

— la tentative de réalisation d'un « touchdown », quand l'action se situe à proximité des buts adverses, et que l'état des choses (score en fin de partie) rend insuffisante la réussite d'un « field-goal » à 3 points.

▬▬ **Influence du déplacement du jeu sur le terrain :** divisons, dans le sens de la longueur, le champ de jeu en 3 zones, en nous situant dans la perspective de l'équipe qui attaque : A, et en partant de son « en-but » : nous appellerons la 1re zone, Zd, « zone de danger », la 2e, Zi, « zone intermédiaire », et la 3e, Zm, « zone de menace directe » (sous-entendu, de l'en-but adverse).

— Dans la Zd, on évitera, bien évidemment, les jeux à haut risque de perte de balle, susceptibles de permettre à l'adversaire soit de marquer directement en « contre » sur interception, soit de gagner la possession de la balle en situation

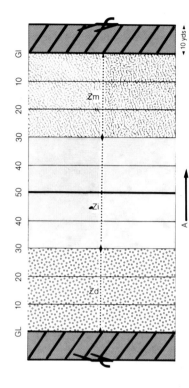

hyperfavorable ; on cherchera à se dégager petit à petit, avec des jeux à exécution simple et échanges de balle réduits ; on aura parfois même recours, en cas de difficulté majeure, au « punt surprise » dès le 3ᵉ « down ».

— Dans la Zi, l'éventail de choix tactique sera beaucoup plus large, mais la préoccupation principale devra rester la réalisation de 1ᵉʳˢ « downs » plus que la recherche de longs gains.

— Dans la Zm, par contre, il s'agira avant tout de « marquer » : pour ce faire, il faudra savoir prendre des risques calculés, et il sera parfois légitime de tenter « le gros coup » : « bombes », jeux à feintes complexes, simples voir doubles « reverses »...

■ Influence des forces relatives en présence : le FA est un jeu de stratégie où les « pièces » sont vivantes, et pour réaliser les « bons choix » tactiques il ne faudra jamais oublier d'intégrer à la dimension abstraite, logique, mathématique, du jeu, la dimension concrète, mais fluctuante et relative, des facteurs humains d'exécution.

Les forces et les faiblesses relatives des escouades offensives et défensives influenceront largement les décisions tactiques : face à une ligne défensive dominant en puissance sa ligne offensive, par exemple, le meneur de jeu de l'« attaque » laissera de côté certains jeux au sol « en force », certains jeux aériens à long développement avec « drop-back » classique du QB, pour privilégier des jeux où la vivacité et la mobilité relative de ses forces seront mises en œuvre : débordements avec « décrochages » de LM, passes « écran », passes avant mi-longues avec déplacement latéral du QB...

Le tacticien sera tenu aussi de tenir compte de l'évolution des rapports de force au cours de la partie, qui peuvent être bouleversés de manière considérable par la fatigue et les blessures.

L'état psychologique du groupe, ou de tel joueur en particulier, sera pris en considération aussi, lors du choix tactique. Il est des moments d'enthousiasme, d'« état de grâce », où tout sourit, et où on peut se permettre de tenter les jeux les plus ambitieux, les plus fous ; il est des moments de découragement où il convient de ressouder l'équipe, de lui redonner confiance, par une série de jeux modestes, mais réussis (passes courtes, charges au sol pour 3 yards...)

■ Influence de l'écoulement du temps de jeu et de l'évolution du score en fonction de ce temps : comme dans n'importe quel sport collectif, l'équipe menant au score à l'approche de la fin de la partie, va tenter d'« user » le temps, de conserver la balle en « jouant la pendule » : sauf si la différence de points est assez large pour la mettre à l'abri d'un retour des adversaires, elle va garder la balle au sol, en évitant les sorties de terrain et les fautes, qui « arrêtent »

la pendule, en tentant de grignoter, sans risquer l'interception ou le « fumble », juste le « yardage » nécessaire à l'obtention d'ultimes 1ers « downs ». Avec à peine quelques dizaines de secondes à jouer, le QB se contentera même souvent de recevoir le « snap » du centre et de poser un genou en terre, pour user les 25 secondes prévues pour le déroulement du « huddle » ; cela peut manquer de panache, mais c'est imparable.

L'équipe menée au score, pour sa part, en fin de partie, va, tout au contraire, tenter d'« étirer » le temps au maximum par, outre l'utilisation de ses « temps morts », des courses de débordement et des passes latérales, qui favorisent la sortie en touche du porteur de balle. Transgressant, à juste titre, les règles classiques de prudence, elle sera amenée, y compris dans sa « zone de danger », à tenter le « tout pour le tout » à coups de longues passes avant, susceptibles de faire basculer le score (si l'écart est faible), d'une façon dramatique, spectaculaire, au dernier moment.

■■■ **Les conditions météorologiques :** le temps idéal est frais, gris, sec, sans vent :

— frais, car l'engagement physique est intense, et les équipements, relativement lourds, pénibles à supporter en cas de chaleur, tout au long d'une partie qui dure parfois plus de 3 heures ; en cas de froid intense, les mains douloureuses et gourdes, tant du QB que les receveurs, seront rapidement inaptes au jeu aérien ;

— gris, car le soleil, surtout « rasant » peut gêner considérablement les receveurs ; c'est pour absorber quelque peu son rayonnement, que les joueurs peuvent se passer les paupières au « noir de fumée ».

N.B. En cas de soleil, le choix des « tracés » de receveurs devra tenir compte de l'« emplacement » de celui-ci ;

— sec, car une balle mouillée, boueuse, lourde, glissante, handicape gravement le jeu aéré et aérien, cantonnant, dans une large mesure, l'action aux jeux basiques au sol et au jeu au pied ; un champ de jeu détrempé interdit les changements de direction nets et rapides (même les surfaces synthétiques de plus en plus utilisées aux U.S.A. sont rapidement glissantes en cas de pluie) ;

— sans vent, car ce dernier pertube considérablement le jeu aérien : le QB devra tenir compte de son intensité et de sa direction lors du choix tant de la forme que de la profondeur des « tracés » des receveurs.

Il est certain que dans le cas du FA, sport qui est très sophistiqué techniquement, de mauvaises conditions météorologiques appauvrissent énormément l'intérêt du jeu, et cela plus encore que pour la plupart des sports collectifs de grand terrain. Les équipes professionnelles américaines l'ont bien compris, c'est pourquoi elles n'ont pas hésité à engager des sommes colossales dans la construction de « dômes », stades couverts à météorologie parfaitement conditionnée.

■ **Les décisions de dernière seconde : les codes « audibles » :** il arrive parfois que le jeu « appelé » dans le « huddle » se révèle, quelques secondes avant le départ de l'action, impossible à exécuter avec une chance raisonnable de succès, par le fait d'un alignement particulier, inattendu, de la défense. Il appartient alors au QB de modifier le choix, et d'annoncer rapidement et clairement à ses coéquipiers quelle est la « tactique » qu'ils vont devoir exécuter en remplacement ; le temps imparti pour la remise en jeu de la balle est trop court pour ouvrir la possibilité du recours à un deuxième « huddle », et la seule solution consiste à utiliser un langage codé, compréhensible des seuls attaquants, et permettant au QB de lancer, haut et clair, l'ordre du nouveau jeu dans la ligne de scrimmage ; ce langage, c'est le « code audible ».

Un, parmi d'autres, des systèmes les plus employés est celui dit de « la couleur vivante » : avant la mise en jeu de la balle, le QB annonce tout haut systématiquement un numéro de jeu, précédé d'une couleur : par exemple « blanc 24 — blanc 24 » ; seule une couleur, appelée « couleur vivante », peut être employée pour annoncer un changement de jeu, par exemple le « rouge » ; si la couleur annoncée par le QB n'est pas la couleur vivante, le numéro du jeu qui la suit n'a d'autre signification que de tromper la défense ; si la couleur est la couleur vivante, les attaquants oublient les choix du précédent « huddle » et exécutent le jeu dont le numéro suit cette couleur. Par exemple : dans le « huddle », il a été décidé de jouer un « 36 », sur la ligne de scrimmage le QB annonce : « blanc 24 — blanc 24 », on joue donc un « 36 » — dans le « huddle » il a été décidé de jouer un « 36 », le QB annonce : « rouge 23 — rouge 23 », sur la ligne de scrimmage, on joue donc un « 23 », rouge étant la couleur « vivante ».

N.B. La couleur « vivante » choisie est annoncée aux joueurs au début de la rencontre par le « coach », et change au rythme de chaque mi-temps, quart-temps ou même seulement « drive », selon les signes d'adaptation au code « audible » que donne la défense.

La défense des Challengers stoppe le 40 des Spartacus.

TACTIQUE DÉFENSIVE

L'acte tactique défensif se décompose en deux temps bien distincts :

— le premier, préliminaire au déclenchement de l'action, est un temps de prévision : le meneur de jeu tente, en fonction des paramètres du « down » à venir et du style de l'équipe adverse, de concevoir à l'avance quel type de jeu celle-ci va choisir d'exécuter ; dans le « huddle » défensif, il délivre donc des consignes tactiques, et décide de la formation défensive à adopter, en fonction de cette anticipation ; juste avant le « snap », alors que l'escouade offensive s'aligne, selon que le type de formation offensive choisie confirme ou non ses premières prévisions, le capitaine défensif peut utiliser un code « audible » pour lancer à ses partenaires l'ordre d'ajustement de dernière seconde.

— le deuxième est le temps de l'action de jeu proprement dite : c'est, en fait, pour la plupart des défenseurs, un temps de réaction à l'initiative offensive, après un moment, fort bref, d'observation de l'attitude des attaquants, nécessaire à déterminer quel type de jeu ces derniers vont tenter réellement de développer.

L'apprentissage de la « lecture des clefs » qui caractérisent les différents types de jeux offensifs fait, à ce titre, autant partie de la formation d'un défenseur, que le strict travail du plaquage, ou de la couverture de passe : l'orientation des blocages et les déplacements (surtout les « décrochages ») des OLM, qui, par exemple, n'ont pas le droit de pénétrer dans le camp adverse pendant la préparation d'une passe avant, sont très informatifs, ainsi que le mode de déplacement du QB ; les défenseurs, dans ce sens, devront aussi s'aguerrir à la lecture, souvent délicate, des nombreuses variétés de feintes.

◀ LES FORMATIONS DÉFENSIVES

La « prévision » tactique défensive n'offre, bien sûr, jamais de garantie de certitude, c'est pourquoi les types de formations adoptées par les escouades défensives avant le départ des actions doivent présenter toujours une certaine polyvalence fonctionnelle : elles doivent, concrètement, permettre de limiter « les dégâts » aussi bien au sol que dans les airs, même si elles sont mieux adaptées à contrer certains jeux en particulier. Plus le nombre de joueurs défensifs avancés « sur la ligne » sera important, plus la formation sera forte contre les jeux de course ; réciproquement, plus le champ arrière sera renforcé et les « linebackers » nombreux, plus les jeux de passes avant seront malaisés pour les attaquants. La dénomination des formations est généralement réalisée à l'aide d'un nombre à deux chiffres : celui des dizaines indique la quantité de « linemen » et celui des unités celle des « linebackers », le nombre de joueurs du « back-field » étant déduit par différence : ainsi une « 43 » sera composée de 4LM, 3LB et 4DB (2CB et 2 « safeties »).

Exemples de formations parmi les plus employées :

■■■ **La « 43 » :** est la formation de base polyvalente par excellence, elle est efficace à la fois contre le jeu au sol et le jeu aérien et, bien sûr, en contrepartie, n'est ultraforte dans aucun domaine. Elle requiert un MLB actif et puissant.

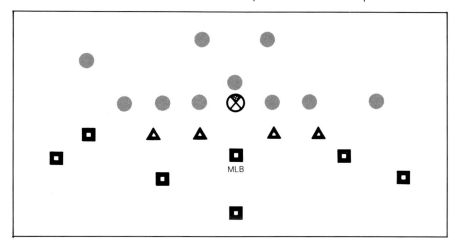

■■■ **La « 34 » :** assez polyvalente, elle est particulièrement efficace contre les différents types de jeux aériens. Elle requiert un NT surpuissant et des OLB solides.

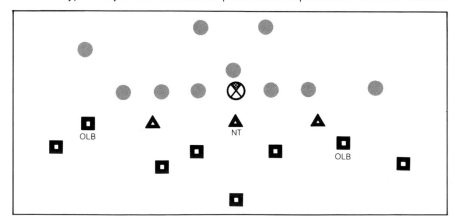

■■■ **La « 52 » :** est une formation forte contre les jeux de course « dans la ligne », qui permet, de surcroît, d'exercer une forte pression sur le QB, lors des jeux aériens.

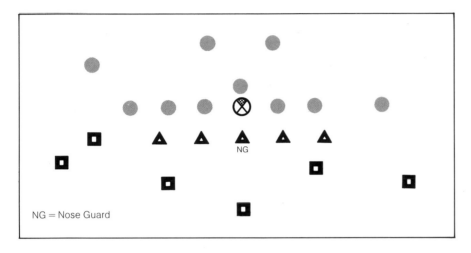

NG = Nose Guard

■■■ **La « 44 » :** particulièrement efficace contre les jeux de passes courtes et contre les jeux au sol, requiert un « safety » rapide et sûr.

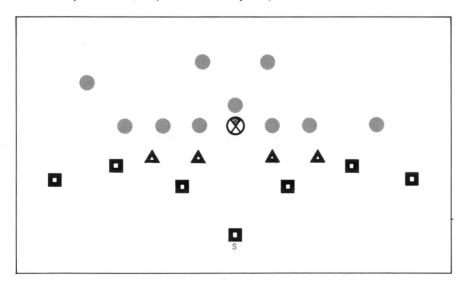

La formation de « ligne de but » (« goal-line formation ») : est utilisée quand la défense est acculée à son propre en-but ; elle vise avant tout l'efficacité contre les jeux en force « dans la ligne ». Elle requiert un personnel lourd et puissant, et des arrières vigilants et rapides.

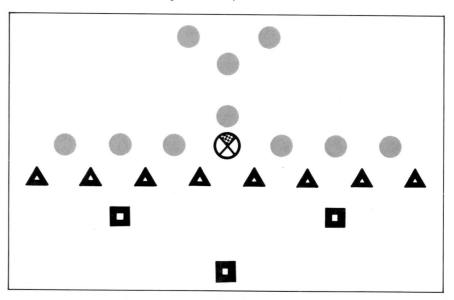

Paris-Jets et Spartacus face à face sur la ligne de scrimmage.

■ **Diagrammes des responsabilités défensives :** chaque équipe possède un « cahier de jeux » défensif, dans lequel se trouvent consignées les responsabilités de chaque joueur face aux différentes possibilités de types de jeux offensifs, et ce, à partir des différentes formations susceptibles d'être utilisées par l'escouade défensive.

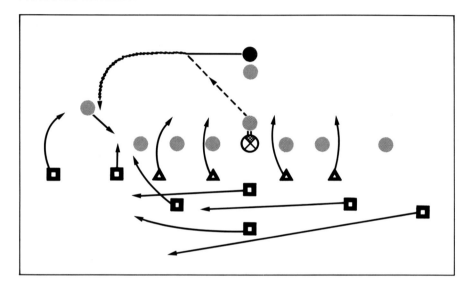

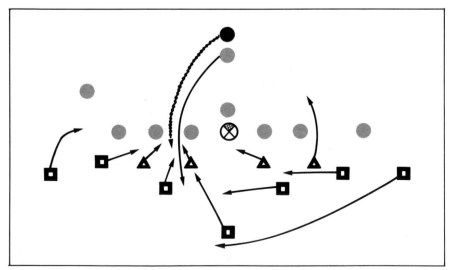

Exemples de responsabilités défensives contre deux jeux « au sol » : une « 4-3 » contre une course de débordement _(ci-dessus)_, une « 4-4 » contre une course « dans la ligne » _(ci-contre)_.

Commentaire : les déplacements figurés signifient, selon le déroulement du jeu envisagé, une attaque directe du porteur de balle ou la réalisation d'une responsabilité de « containement », de poursuite éventuelle ou de repli de sécurité.

■■■ **Différents styles défensifs :** il existe différents modes de réalisation des responsabilités défensives mises en œuvre, selon les circonstances par tel ou tel sous-ensemble de défenseurs, particulièrement concerné.

Défense « individuelle » ou défense « de zone ».

Alternative défensive classique de tous les sports collectifs, cette double possibilité concerne les DB et les LB confrontés aux jeux de passes avant :

— dans le cadre d'une défense « individuelle », chaque défenseur du « backfield », ou de l'« arrière-ligne » est responsable de la « marque » d'un receveur bien précis, et cela quelles que soient la forme et l'amplitude de son « tracé », dès que l'attaque adverse a déclenché son mouvement.

— exemple de division du travail :

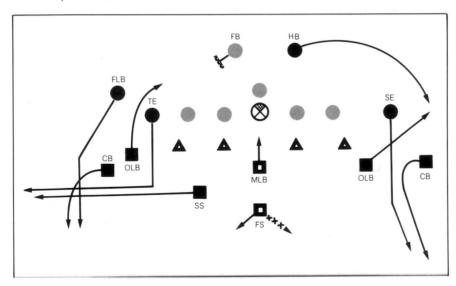

Commentaire : le CB droit « couvre » le SE — le CB gauche couvre le FLB — le SS couvre le TE — l'OLB droit couvre le HB — l'OLB gauche couvre le FB.

— dans le cas d'une défense « de zone », chaque défenseur est responsable d'une portion de terrain (« sa zone »), à l'intérieur de laquelle il doit prendre en chasse tout receveur s'y présentant, quel qu'il soit. En cas de zone occupée par deux attaquants, le défenseur responsable de la zone couvre le plus « profond » et reçoit, pour l'autre, l'aide d'un coéquipier dont la zone est vide.

Un « pitch » se prépare.

— Exemple de répartition des zones :

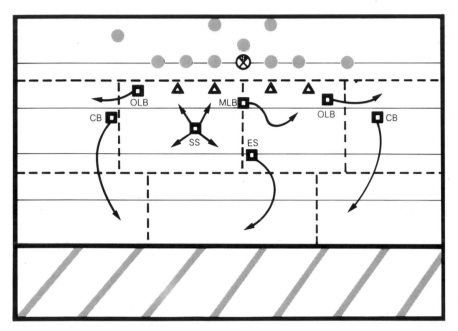

Commentaire : le FS est responsable de la zone centrale profonde, les CB des zones latérales profondes, les OLB des zones latérales courtes, le SS de la zone centrale gauche courte, le MLB de la zone centrale gauche courte.

N.B. Pour chaque mode de défense utilisable, les responsabilités sont clairement consignées dans le « cahier de jeux », et le système choisi est annoncé dans le « huddle ». La défense « individuelle » est théoriquement tactiquement plus simple, mais réclame de ceux qui l'exécutent des qualités athlétiques plus « pointues » : au meneur de jeu de connaître les forces et les faiblesses relatives de son équipe et de les exploiter au mieux.

Jeu en « pénétration-anticipation » de la ligne défensive, ou jeu en « réaction ».
Les « linemen » défensifs peuvent être appelés à engager l'action de deux façons bien différentes aussi :

— soit ils auront pour consigne de charger, dès le « snap », sans s'occuper, dans un premier temps, de la circulation du ballon, avec comme but de pénétrer derrière la ligne d'attaque, puis seulement, d'attaquer le porteur de balle ; on veillera à ce que leur pénétration soit cohérente et ne laisse pas de larges espaces libres, en leur indiquant, dans le « huddle », le côté par lequel ils seront tous tenus de mener leur charge (exemple ci-dessous : « pénétration droite ») ; au risque de ne pas se trouver immédiatement sur le trajet du ballon, ils effectuent ce type d'action pour, en fait, tenter de surprendre la ligne offensive et mettre beaucoup de « pression » sur le QB.

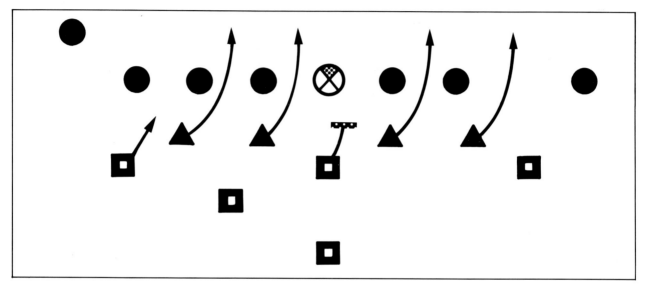

— soit ils auront pour consigne d'encaisser sur place (en évitant toutefois de se faire « coller » par les attaquants) le premier choc des blocages adverses, de « lire » ces blocages pour concevoir le trajet prévu du ballon, et de réagir contre ces blocages en tentant de boucher le « trou » que leurs adversaires cherchent à ouvrir. Ce type de travail en « réaction », plus scientifique que le précédent, plus solide et plus sûr, est aussi bien plus délicat à exécuter correctement, et réclame des joueurs d'expérience, puissants, et surtout très affûtés techniquement.

Le « blitz ».

C'est une action « éclair », qui consiste, pour les joueurs qui l'exécutent, à abandonner un moment leurs responsabilités habituelles, pour se ruer sur le QB dès le « snap » et tenter de le « saquer » avant qu'il ait eu seulement le temps de transmettre son ballon d'une quelconque manière. Il est réalisé, le plus souvent par des LB, mais aussi parfois par des DB, qui peuvent utiliser leur relatif éloignement de la « ligne », pour se lancer et effectuer des plaquages destructeurs. Il constitue une sorte de « coup de poker » susceptible d'engendrer aussi bien de brillants résultats que de cuisants revers, selon le type de jeu offensif auquel il se trouve (toujours brutalement) confronté.

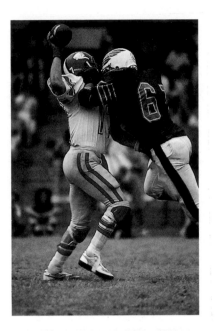

— exemple de « blitz » victorieux :

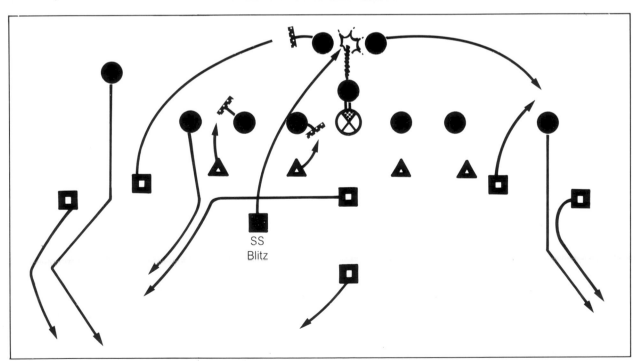

SS
Blitz

Le « strong safety » saque le QB.

— exemple de « blitz » contré : le QB passe de justesse au RB !

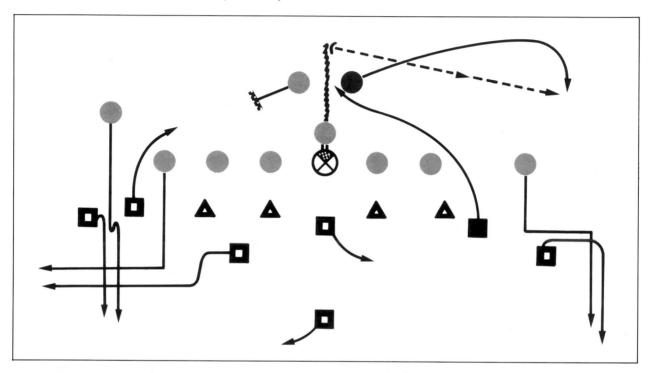

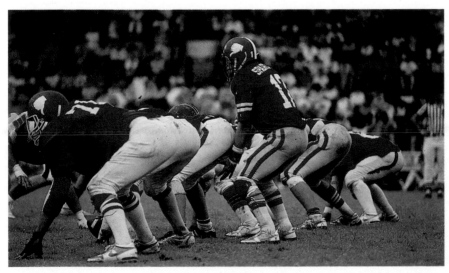

Page ci-contre : le Challengers 34 a le ballon !
Ci-contre : finale du Casque d'or 1986, Anges bleus-Spartacus : le QB 17 va recevoir le « snap » du centre.

145

LE JEU AU PIED

Clairement offensif, dans le cas du coup de pied au but, plus « défensif », dans le cas du « punt » ou du « kick-off », où il s'agit, avant tout, de repousser l'attaque adverse le plus loin possible, le jeu au pied est, de toute façon, une composante fondamentale de l'efficacité d'une équipe sur le terrain. Les unités spéciales qui sont responsables de ces différents aspects du jeu, comme celles qui sont chargées de « répliquer » au jeu au pied (retour de « punt » et de « kick-off », défense anti-« field-goal »), déterminent de façon importante l'occupation du terrain, et le caractère favorable ou défavorable des conditions dans lesquelles leurs partenaires des escouades offensives ou défensives vont être amenés à aborder chaque nouvelle série de tentatives (« drive »). L'histoire du FA, en outre, fourmille d'exemples où les 3 points d'un « field-goal » ont apporté la victoire à l'un des protagonistes à quelques secondes de la fin d'une partie âprement disputée.

■ Le coup de pied d'engagement (« kick-off »)

Le « kick-off » classique : l'objectif est de botter le plus près possible de la ligne de but adverse (sans la dépasser, ce qui permettrait à l'escouade offensive de repartir automatiquement de « ses 20 yards »), et le plus haut possible, pour donner le temps à l'ensemble des partenaires du botteur de dévaler le terrain pour venir plaquer le plus tôt possible le joueur adverse qui a reçu le ballon, et tente de contre-attaquer. Afin de se prémunir contre d'éventuels changements importants de direction du « retourneur » de balle, les partenaires du botteur veilleront à « ratisser » largement le champ de jeu pendant leur course d'approche, et deux seulement convergeront directement vers la balle.

— exemple de répartition des responsabilités :

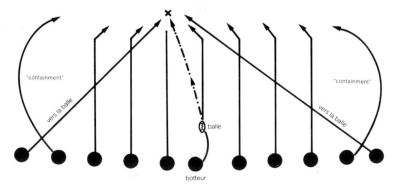

Coup de pied « pour soi » (« own side kick ») : dans certaines circonstances, l'équipe botteuse peut avoir le besoin pressant de gagner la possession du ballon (fin de partie, par exemple, alors qu'elle est menée au score). Elle va, dans ce cas, donner un coup de pied très court (au-delà, toutefois, des 10 yards réglementaires) et tenter de recouvrir le ballon en prenant la formation adverse de vitesse.
— exemple d'« own side kick » :

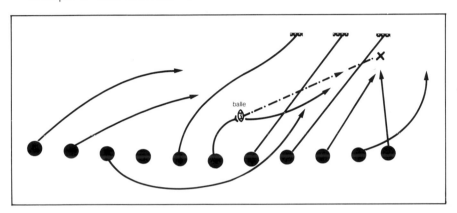

■■■ **Le coup de pied de dégagement (« punt ») :** ce coup de pied poursuit le même objectif que le « kick-off » classique, mais la formation adoptée par l'unité qui le donne doit permettre un long « shot-gun » du centre au botteur, et favoriser la protection de ce dernier contre les défenseurs qui vont tenter de bloquer le « botté », puisque, contrairement au « kick-off », le « punt » est délivré à partir d'une situation d'opposition. Après un « punt », l'équipe qui reçoit, peut choisir, si la réception du ballon se révèle hasardeuse, de laisser rouler la balle au sol, puisque, contrairement au « kick-off » aussi, les « botteurs » ne peuvent recouvrir la balle et en gagner la possession si aucun joueur adverse ne l'a préalablement touchée : dans ce cas, les coéquipiers du botteur accompagneront de façon rapprochée le trajet du ballon pour simplement le stopper dès qu'il leur deviendra défavorable (retour en arrière ou menace de franchissement de la ligne de but adverse).
— partage des responsabilités sur le « punt » :

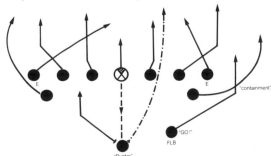

Commentaire : les deux ailiers E démarrent au « snap » directement vers la balle ; les autres joueurs bloquent et démarrent à leur tour, quand le FLB crie « go », au moment de la frappe du ballon.

N.B. En fin de partie, une équipe menée au score peut choisir, au 4e « down », de tenter une passe avant (ou une course de débordement), après s'être positionnée en formation de « punt » pour tromper la défense.

— exemple : feinte de « punt » et passe avant :

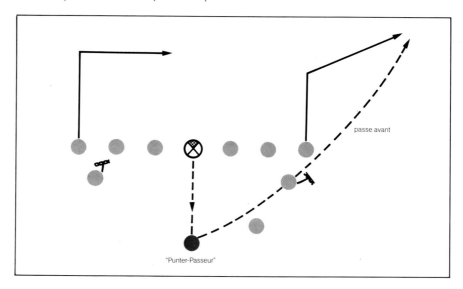

passe avant

"Punter-Passeur"

■ Le coup de pied au but (« field-goal ») et de « transformation » : la formation adaptée à la réalisation de ce type de coup de pied doit répondre à la double nécessité d'un placement rapide et précis de la balle au sol (en un endroit suffisamment éloigné de la « ligne » pour qu'une élévation correcte — environ 40° de sa trajectoire — lui permette de franchir les DLM debout, bras élevés), et de la constitution d'un écran de protection, visant à maintenir les défenseurs éloignés du ballon, le temps nécessaire à la réalisation de la triple action. Les OLM adopteront une position très resserrée, très compacte visant à interdire, en priorité, les pénétrations défensives directes par le centre qui sont les plus rapidement dangereuses.

N.B. Une équipe préférant tenter les 6 points d'un essai aux 3 points (plus sûrs) d'un coup de pied (ou les 2 points d'une transformation « à la main » au point d'une transformation « au pied » en football universitaire ou amateur) peut se positionner

comme pour un « field-goal » pour tromper la défense adverse, et, finalement, déclencher un jeu au sol ou un jeu aérien :

Formation de « field-goal » :

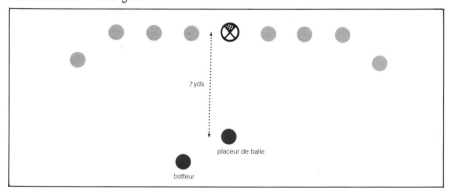

Feinte de « field-goal » et course du botteur :

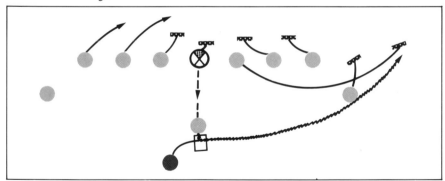

Feinte de « field-goal » et passe avant :

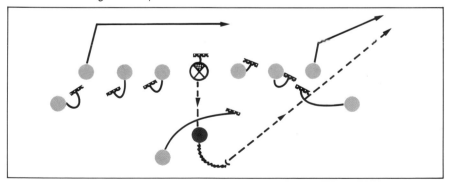

149

■■■ **Le retour de « kick-off » :** l'unité spéciale de retour de « kick-off » détermine, dans le « huddle » précédant le coup de pied, la direction que prendra le réceptionnaire du ballon pour sa course vers les buts adverses, ainsi que le type de blocages que devront réaliser ses partenaires afin de favoriser sa progression ; dans les retours classiques, on utilise généralement un premier « mur » de bloqueurs pour briser globalement la cohésion de la charge adverse, puis un second rideau de bloqueurs pour former, à proximité du « retourneur », un écran compact et mobile qui, comme un coin (« wedge »), tentera de s'enfoncer dans la formation opposée. Il existe des tactiques très sophistiquées, difficiles à exécuter collectivement, mais susceptibles d'engendrer de remarquables remontées de terrain ; certaines tactiques (à haut risque) ne visent rien de moins que le « touchdown » et mettent en œuvre de longues passes latérales d'une aile à l'autre du terrain, ou une succession de passes arrière (type rugby)... Quand le coup de pied est court (intentionnellement ou non), la sagesse recommande au premier joueur en position de l'atteindre, de se contenter de se coucher vite sur la balle pour en gagner la possession.

Retour classique « au centre » :

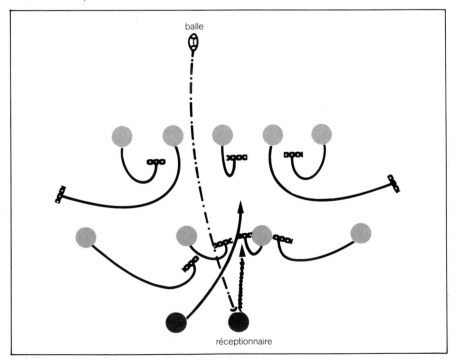

Retour sophistiqué latéral droit :

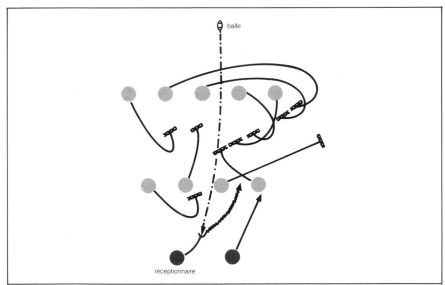

Retour visant le « tout pour le tout » :

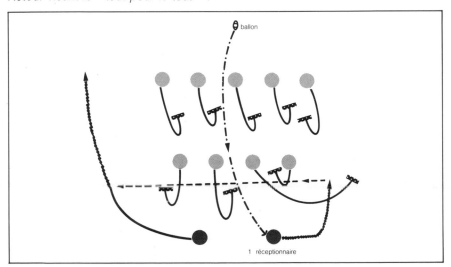

Commentaire : le 1er réceptionnaire fait mine de s'engouffrer sur la droite puis adresse une longue passe latérale vers la gauche à l'autre retourneur qui s'est démarqué.

5
ENTRAÎNEMENT

LA PRÉPARATION

L'entraînement d'une équipe de FA comprend trois dimensions principales : la préparation physique, la préparation technique, la préparation tactique ; la dimension stratégique est essentiellement gérée par les entraîneurs. Quant à la préparation psychologique, traitée différemment selon les équipes, elle s'insère, en fait, dans les trois citées plus haut. Le contenu et le dosage des trois types de préparation évoluent, bien sûr, avec le déroulement de la présaison puis de la saison proprement dite, et la richesse et la complexité de l'activité rendent impensable une pratique de bon niveau, sans un entraînement quasi quotidien. Outre-Atlantique, les bonnes équipes ont coutume de préparer la saison par un mois de « camp d'entraînement », qui réunit l'équipe pour une pratique quotidienne pouvant dépasser les 8 heures (« tableau noir » compris) ; en Europe, on compense souvent une moins grande densité de pratique par l'étalement de la présaison sur deux ou trois mois.

La reprise de la saison sera axée, bien sûr, sur la remise en forme (le retour au « poids de forme » étant un des objectifs non négligeables du travail de condition physique) ; puis seront intégrés progressivement aux entraînements les exercices techniques, des plus basiques aux plus complexes et les apprentissages tactiques.

LA PRÉPARATION PHYSIQUE ▶

Étant donné la diversité des performances athlétiques demandée aux différents membres de l'équipe, selon la position qu'ils occupent sur le terrain, la préparation physique générale, commune à tous les joueurs, sera toujours complétée par une préparation spécifique par postes.

■ **La condition physique générale** doit répondre aux exigences d'un effort assez bref et très intense, mais répété de nombreuses fois sur une durée de plus de 3 h ; le travail foncier de « reprise » de la saison doit donc être polymorphe, aérobique et anaérobique (en endurance, puis en résistance et en vitesse, pour reprendre une ancienne terminologie) : à base de courses lentes de 45 minutes, lors des premières séances, il intégrera progressivement des courses de moyenne intensité sur 400 m (3, puis 4..., 6 répétitions, entrecoupées de 1 mn de récupération marchée), puis des sprints à intensité maximale sur 20 à 40 m (de 8 à 15 répétitions).

Une progression de résultats doit être constatée à l'occasion de prises de

performance de contrôle, pouvant intervenir tous les 15 jours, sur 12 mn (test de Cooper), 400 m et 40 yards (36 m). La condition physique générale dont dépendra non seulement l'efficacité des déplacements, mais aussi la résistance aux durs contacts, fera aussi appel à un travail complémentaire de musculation et d'assouplissement, concernant, pour tous les joueurs, l'ensemble des groupes musculaires et des articulations, avec un effort particulier porté sur les membres inférieurs et la colonne cervicale (contrairement à une idée reçue, on reconnaît souvent, outre-Atlantique, un footballeur, beaucoup plus à la puissance de la musculature de ses « jambes » et de son cou qu'à sa largeur d'épaule).

Travail de blocage au sac de frappe.

■ La préparation physique spécifique insistera principalement, par postes, sur les points suivants :

Pour les « linemen » :

— travail de vitesse sur des distances courtes (15-20 yards) ; travail des démarrages, travail de détente ;

— effort particulier de renforcement musculaire (accompagné de gain pondéral) : ce travail de musculation, complet, réalisé en « puissance » (les charges peuvent être lourdes mais les mouvements doivent rester dynamiques), insistera particulièrement sur la sangle abdominale, les muscles lombaires, et plus que pour les autres postes, sur le renforcement de la ceinture scapulaire et des membres supérieurs (blocages).

Pour les « linebackers » :

— travail de musculation comparable à celui des « linemen », en insistant particulièrement sur l'aspect dynamique de l'effort, avec une attention portée spécialement au renforcement des avant-bras et des poignets (« hand-shiver », évitements des blocages) ;

— important travail de vitesse sur des distances de 20 à 50 yards.

Pour les receveurs et tous les joueurs des champs arrière, offensifs aussi bien que défensifs :

— la musculation générale reste une dimension importante du travail, et l'on insiste sur le renforcement du « train porteur » (membres inférieurs, bassin, abdominaux) ; à ce propos, la musculation avec barres et appareils sera heureusement complétée par des exercices intégrant à des déplacements dynamiques des bonds de différentes natures (« multisauts » avec bancs ou obstacles bas divers, sauts à « cloche-pied » ou pieds joints dans du sable...) ;

— la course reste le travail de base, néanmoins : l'objectif, au fur et à mesure de l'approche de la saison, sera de développer la plus grande vitesse de pointe possible, et surtout d'améliorer au maximum le déclenchement de la mise en action et l'accélération initiale (le FA est plus un sport d'accélération que de vitesse pure). Pour atteindre ces buts les joueurs réaliseront, outre un travail de sprint sur des distances classiques, de 40 à 100 yards, un travail de démarrages sur des distances courtes (10-15 yards) et des exercices visant à réduire au minimum leur « temps de réaction » (réponses gestuelles variées, et les plus explosives possible, à différents signaux auditifs et visuels...).

◄ LA PRÉPARATION TECHNIQUE

■■ **La préparation technique générale :** tout joueur de FA, quel que soit son poste, peut être amené non seulement à courir, avec ou sans le ballon, mais aussi à bloquer et à plaquer (lors d'une interception de passe avant, par exemple, les défenseurs devront bloquer, et les attaquants, plaquer) : le travail des techniques de base de la course, du blocage et du plaquage, constituera donc, dès que la remise en forme de l'équipe permettra de les pratiquer en sécurité, le contenu, commun à tous les joueurs, des premiers entraînements footballistiques proprement dits.

Courir : la course est assez particulière en FA : le joueur, lancé à pleine vitesse, peut être amené à stopper net, changer radicalement de direction, sauter, contourner un obstacle, et tout cela en restant stable malgré les charges nombreuses, variées, et violentes qu'il doit subir. La solidité mais aussi l'agilité de ses appuis au sol seront des armes qu'il faudra sans cesse renforcer par des exercices de déplacements très diversifiés : courses en slalom au travers de différents obstacles, en veillant à rester stable (centre de gravité bas), courses à reculons, courses latérales en pas croisés, courses en puissance en recevant des chocs (à travers les « fameuses portes de saloon » utilisées aussi par les rugbymen). Un des grands classiques de cette catégorie d'exercices est une course à fréquence d'appuis élevée, ces appuis étant posés à l'intérieur de pneus d'automobiles rangés (au nombre de 40 à 60) sur le sol.

Bloquer : tous les joueurs travailleront les blocages individuels de base (« drive blocks », « shoulder blocks », « roll blocks »), sur des cibles statiques, sacs de frappe posés au sol, et sur des cibles en mouvement, coussins de frappe portés par des partenaires.

Plaquer : les joueurs travailleront les deux plaquages de base, le plaquage de face et le plaquage latéral avec poursuite, sur des partenaires portant la balle à tour de rôle ; le plaquage de face se pratiquera avec un peu d'élan (5 ou 6 yards), le plaquage latéral pourra être réalisé au terme d'une poursuite plus ou moins longue (de 10 à 25 yards).

■ **La préparation technique spécifique :** les joueurs répartis en groupes, selon leur position sur le terrain, pratiqueront, à l'approche de la saison, des exercices spécifiques (« drills ») visant non seulement à les améliorer techniquement en fonction de leurs tâches respectives, mais aussi, par la cadence et l'intensité élevées du travail demandé, à parfaire leur condition physique et forger la détermination, la combativité dont ils auront besoin au cours des parties.

Les « linemen » offensifs pratiqueront les nombreuses formes de blocages individuels qui doivent constituer leur arsenal technique, aussi bien sur des cibles fixes qu'ils chargeront à partir d'une position de « ligne » rapprochée, que sur des cibles en mouvement qu'ils chargeront après des courses de « décrochage » ; ils coordonneront leurs déplacements respectifs par la réalisation répétée, de plus en plus rapide, des différentes formes de blocages collectifs (« cross blocks », « fold blocks », « trap blocks »...).

Les linemen défensifs répartiront leur temps de travail technique, entre la pratique des « évitements de blocages » et des différentes techniques (pivots, feintes, déséquilibres...), leur permettant de traverser la ligne offensive, et la pratique du plaquage de près.

Les « linebackers » auront un travail technique très diversifié à accomplir : la base de leur pratique sera constituée d'exercices de plaquages, qu'ils doivent être à même de réaliser sous toutes les formes possibles après toutes les approches possibles, et d'exercices de ruptures et d'évitements de blocages, qui doivent leur permettre de maîtriser des adversaires puissants et « lancés » ; en outre, ils doivent travailler la couverture de passe, et, en général, la défense antiaérienne.

Les RB insisteront sur les exercices de déplacements variés, balle en main, incluant des chocs, des contacts divers, dans le but, non seulement d'améliorer l'efficacité de leurs accélérations, et leur stabilité, mais aussi la sécurité de leur contrôle du ballon ; ils travailleront les différentes techniques anti-plaquage (raffûts, percussions, crochets, pivots...). En outre, il leur faudra pratiquer les différents modes de transmission du ballon, « main à main », réception de « pitch », récep-

tion de passes avant. Une part importante de leur entraînement spécifique, enfin, doit être consacrée à la pratique des blocages en déplacement (dont les « roll blocks » sont une dimension essentielle) et à l'amélioration de l'utilisation de ceux-ci par les porteurs de balle (exercices de « lecture » de blocages).

Les receveurs : l'essentiel de leur effort portera, bien sûr, sur la pratique des réceptions de ballon : ils pratiqueront ces réceptions immobiles, mais aussi surtout en déplacement, selon les contraintes imposées par les différents « tracés » ; ils « recevront » donc, courant à pleine vitesse et le regard fixé sur le lanceur, eux-mêmes de face, de dos, de profil, des balles tendues et des balles lobées ; ils travailleront sur des balles « mal lancées » (trop hautes, basses, courtes...) ; ils répéteront inlassablement leurs « tracés » pour automatiser principalement les différentes profondeurs auxquelles doivent être réalisés les changements de direction. Enfin, ils pratiqueront des « drills » destinés à renforcer leur capacité à se concentrer sur la balle, leur capacité à « fermer leurs oreilles » à tout ce qui n'est pas la réception du ballon, et, en particulier, à la menace des défenseurs : réceptions suivies obligatoirement d'une percussion, réceptions précédées de peu par un contact conséquent, réceptions à réaliser au milieu d'une « meute » de joueurs...

Les arrières défensifs : outre les « évitements de blocages » lancés (et en particulier des blocages bas), ils travailleront beaucoup le plaquage, et surtout le plaquage précédé d'une poursuite. Mais la part délicate de leur pratique restera le travail de couverture de passe, travail des déplacements et des « habiletés » d'appuis leur permettant de marquer efficacement « leur » receveur, travail d'adresse sur le ballon leur permettant de l'intercepter, ou au moins de le détourner des mains du receveur, travail spécifique de percussions et de saisies sur le receveur pour lui faire lâcher la balle qu'il est en train ou qu'il vient de capter.

Le QB : il pratiquera énormément les différentes formes de transmission de ballon, avec les différents joueurs impliqués dans ces transmissions : avec le centre, le QB travaillera les échanges par « snap » classique, et par « shotgun », avec les RB, il travaillera les remises « main à main » et les remises par passes arrière ou latérales (« pitch »), ainsi que les feintes émaillant ces remises afin d'obtenir toujours plus de précision, mais surtout de vitesse, dans leur exécution. Le travail essentiel du QB, sur le plan technique, n'en reste pas moins celui visant à améliorer les qualités de « sa passe avant », qualités de précision, de puissance, et de vitesse de déclenchement : il pratiquera le lancer de précision sur cible immobile puis mouvante, lui-même étant immobile puis en mouvement (« roll out »...) ; il pratiquera des séries de longs jets, en direction d'une cible de plus en plus éloignée, pour améliorer sa puissance ; il travaillera ses déplacements préparatoires

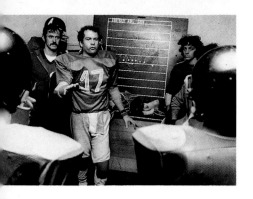

au lancer, et lancera en réaction à des signaux visuels pour améliorer sa vitesse de déclenchement ; il pratiquera, en outre, des « drills » particuliers pour améliorer son « toucher » de balle (passes lobées en souplesse au ras d'un obstacle élevé...), ainsi que pour renforcer sa lucidité et son efficacité dans les situations difficiles : passe après une percussion, passe en déséquilibre, passe en fuyant un défenseur, en reculant...

Les centres, botteurs et retourneurs des unités spéciales : chacun de ces hyperspécialistes travaillera, en corrélation avec ses partenaires immédiats, ses techniques particulières : le centre concerné répétera de longues séries de « shotgun » adressées au « placeur » à genoux, en vue de préparer de bonnes balles au botteur de « field-goal », puis celui-ci les rejoindra, après avoir travaillé individuellement ses coups de pied, pour mettre au point le double « timing » avec eux ; ainsi les botteurs du « punt » et du « kick-off » travailleront leur puissance et leur précision, face aux retourneurs, qui, eux, pratiqueront les réceptions pour renforcer leur sûreté...

La suite logique de ce travail technique par groupes isolés tendra à mettre en application les acquis techniques précédemment réalisés, et à enrichir les situations de travail en opposant spécifiquement certains groupes d'attaquants à certains groupes de défenseurs : le groupe des « linemen » offensifs, par exemple, sera utilement opposé à celui des « linemen » défensifs dans des exercices collectifs de « protection de passeur » ; le groupe des RB, efficacement opposé à celui des « linebackers », dans des exercices tendant à améliorer l'efficacité des blocages, des lectures de blocages, et des courses des premiers, et cèlle des évitements de blocages et des plaquages des seconds ; les receveurs, enfin, opposés aux arrières défensifs, éprouveront, au feu de la couverture de passe de ces derniers, le réalisme de leurs tracés et la sûreté de leurs réceptions, ainsi que la qualité de leur connivence avec le QB.

LA PRÉPARATION TACTIQUE ▶

La préparation tactique se résume, en fait, à l'apprentissage du « cahier de jeux », pendant la période qui précède juste la saison ; quand les matches commencent, ce « cahier de jeux » révèle, au contact de la réalité, ses forces et ses faiblesses, ses lacunes aussi, et l'analyse des unes et des autres, ainsi que les caractéristiques de jeu que dévoilent les adversaires que l'on s'apprête à rencontrer, vont amener les entraîneurs à apporter des modifications et ajouter des compléments à la « bible tactique », modifications et compléments que les joueurs auront à assimiler au fur et à mesure du déroulement de la saison.

L'apprentissage du « cahier de jeux » va se faire escouade par escouade (les attaquants, les défenseurs, les unités spéciales, travaillant par groupes séparés, avant de se réunir pour conjuguer leurs efforts).

Dans un premier temps, l'escouade concernée se réunit avec son entraîneur pour un « tableau noir » où est décrit et dessiné le « jeu » du jour, où sont soulignées les responsabilités clefs, les difficultés d'exécution, où sont évoquées les différentes adaptations possibles à différents comportements de l'opposition, où sont annoncées les appellations du jeu et de ses variantes par les différents systèmes de code... Dans un deuxième temps, les joueurs passent sur leur terrain et, au ralenti, apprennent les déplacements et les tâches à coordonner, comme des danseurs découvrant une chorégraphie, ou des parachutistes préparant, au sol, une figure de « vol relatif » ; quand, par exemple pour un jeu offensif, l'emplacement et le type des transmissions de balle sont connus, ainsi que la nature des feintes, et les cibles et les directions des blocages (on figure, au départ, le positionnement des adversaires par des repères au sol, des mannequins, etc.), on accélère la circulation des joueurs et la réalisation globale du jeu jusqu'à obtenir une exécution à vitesse maximale, sans opposition. Il reste alors à effectuer le troisième temps de l'apprentissage, en exécutant le jeu en situation d'opposition, d'abord raisonnée, puis, au fur et à mesure du rodage de la « tactique », face à une opposition de plus en plus sincère. Le peaufinage des jeux, enfin, ne sera réalisé qu'en situation d'opposition réelle, lors des « scrimmages » ou des matches d'entraînement de présaison.

◀ UNE SÉANCE
TYPE D'ENTRAÎNEMENT

(Situons-la, dans le cadre de la préparation d'une équipe universitaire, à une quinzaine de jours du premier match de présaison. On considère que la condition physique est au meilleur niveau, et qu'un « scrimmage » attaque-défense [exercice d'opposition globale à thème] est programmé pour le lendemain.)

▰ Échauffement : 35 mn.
— 5 mn de course très lente ;
— 15 mn d'étirements ;
— 10 mn de courses et de déplacements variés en intensité progressive, sur des trajets courts (de 15 à 30 yards) ;
— 5 mn de contacts variés d'intensité moyenne.

▰ Entretien de la condition physique, lié à un travail, commun à tous les joueurs, d'agilité des appuis et de préparation au contact : 25 mn.
— série de sprints sur 20 yards à récupération courte (8 à 10 répétitions) ;

— parcours de 30 yards à déplacements variés (course à reculons, course latérale, quadrupédie...), à intensité maximale (3 fois) ;

— passages « dans les pneus » (voir p. 157, 4 fois) ;

— « portes de saloon », etc.

■ Exercices techniques par groupes (« drills ») : 50 mn.

— groupes séparés : 25 mn ;

— groupes en opposition (OLM contre DLM, RB contre LB, receveurs contre DB) : 25 mn.

■ Travail des unités spéciales : 20 mn. Par exemple :

— mise en place des responsabilités des joueurs du retour de « kick-off », sans opposition (un seul joueur, face à la formation de retour, pour donner les coups de pied) : 10 mn ;

— application du travail précédent contre une opposition raisonnée : 10 mn.

■ Travail tactique offensif et défensif : 50 mn, chaque escouade, séparément, fait « tourner » sans opposition les « tactiques », met en place les formations, travaillées au cours de la semaine précédente.

■ Retour au calme : 10 mn. 5 mn de course lente, 5 mn d'étirements.

AUTOUR DU MATCH

◀ LA STRATÉGIE

Une armée peut être comparée à de l'eau ; l'eau épargne les lieux élevés et gagne les creux ; une armée contourne la force et attaque l'inconsistance. Le flot se règle sur la forme du terrain, la victoire se remporte en se conformant à la situation de l'ennemi (Sun Tzu, *L'Art de la guerre*).

Avant chaque rencontre, les entraîneurs, en collaboration avec les capitaines de chaque unité, élaborent un « plan de bataille ». Ce plan, dans le cadre duquel seront réalisés les choix tactiques en cours de partie, en fonction de la situation précise sur le terrain, tient compte de nombreuses conditions : certaines d'entre elles sont indépendantes de la nature de l'opposition, comme les conditions météorologiques, ou comme l'enjeu réel du match (on n'élaborera pas un système de jeu sur la passe longue un jour de bourrasques, on ne fera pas le même usage de(s) joueur(s) remplaçant(s) lors d'un match de présaison et lors d'une finale de championnat...) ; d'autres, déterminantes, sont constituées précisément par la nature de l'opposition : le style de jeu de l'équipe adverse, les caractéristiques athlétiques et techniques de ses différentes unités et sous-unités (ligne de défense, groupe de receveurs, par exemple). Celles-ci et celles-là vont permettre aux stratèges d'évaluer les forces et les faiblesses de leurs escouades relativement à l'opposition, pour, à partir de là, mettre sur pied un système de jeu pour le match envisagé. Telle équipe tentera d'imposer sa puissance, alors que telle autre cherchera à surprendre par sa vivacité et sa fluidité. Telle unité offensive utilisera de manière prépondérante la voie aérienne, alors que telle autre cherchera principalement ses gains au sol. Telle défense fondera son activité sur l'anticipation, le blitz, alors que telle autre choisira d'insister sur les lectures et les réactions. Des situations exceptionnelles engendreront des choix adaptés : la présence d'un joueur particulièrement dangereux dans la formation adverse déterminera la mise en œuvre d'un marquage particulier, permanent, pressant, de ce joueur pouvant aller jusqu'à la « double couverture » ; le déséquilibre important entre l'efficacité redoutable de son unité défensive et la fragilité manifeste de son unité offensive peut conduire l'équipe concernée à utiliser à l'extrême le jeu au pied (préférence au « kick-off » par rapport au « kick-off return », utilisation du « punt » avant la 4e tentative...), pour donner à sa défense la responsabilité — grâce à des interceptions, des recouvrements de balle, des « sacks », etc. — de gagner le ballon de façon à faire « rentrer » l'attaque dans d'excellentes conditions.

L'évaluation des adversaires, préliminaire aux options stratégiques, utilisera diverses sources de renseignement. L'observation de leurs matches précédents, surtout sous forme de films de ces matches, permettant d'employer de nombreux retours en arrière, associés à des ralentis pour « décortiquer » les actions intéressantes, relever les diagrammes de leurs jeux favoris, noter leurs types de formation les plus utilisés, ainsi que l'analyse détaillée de leurs statistiques, sont les plus efficaces.

LES PRÉLIMINAIRES ▶

Avant le match proprement dit, les joueurs ont beaucoup de choses à faire : ils doivent se faire bander, parfois masser, ils doivent s'équiper, s'échauffer, se préparer psychologiquement, recevoir les dernières instructions de leurs entraîneurs, et c'est plus de deux heures avant le coup d'envoi qu'ils se retrouvent généralement dans les vestiaires.

■ L'« habillage », qui comprend le réglage et l'installation de l'ensemble des protections, peut demander un bon quart d'heure.

■ Les premières interventions des « kinés », souvent antérieures à l'habillage, vont concerner deux types de joueurs : les premiers, fragilisés ou algiques, par le fait de séquelles d'accidents, de surmenage, etc., auront besoin de se faire faire un « strapping » (voir chapitre 7), ou de subir une manipulation (massage décontractant, M.T.P., etc.) selon la nature de leur problème ; les seconds, parfaitement indemnes, se feront faire des « strappings » de prévention, autour des articulations que leur fonction sur le terrain expose particulièrement (chevilles des RB, poignets et doigts des « linemen », etc.).

■ L'échauffement sera décomposé en deux grandes parties d'à peu près une demi-heure chacune :

— la première visera strictement la préparation physique à l'effort violent et au « contact », tant sur le plan fonctionnel (cardio-vasculaire, respiratoire...) que sur le plan musculaire et articulaire. Elle sera composée d'étirements, de course lente, de déplacements variés courts à intensité très progressive (y compris de déplacements quadrupédiques), de reptations, roulades, etc. ;

— la deuxième, tout en parachevant l'action physiologique de la première, insistera sur l'aspect technique des choses ; les joueurs se sépareront par groupes selon leurs postes, et répéteront, avec une intensité progressive de l'effort, et sans aller jusqu'à la fatigue (temps de récupération), les gestes techniques de base des postes en question (courses de « tracés » et réceptions de balle pour les receveurs, coups de pied pour les botteurs, lancers pour les QB, blocages pour les LM, etc.).

Page ci-contre : **échauffement : Anges bleus et Spartacus.**

■ **La préparation psychologique** poursuit un double objectif : la recherche d'un état de concentration, de détermination et de combativité maximal de chaque joueur, et la cohésion du groupe. En ce qui concerne le second, il ne faut pas oublier, en effet, que de multiples unités et sous-unités sont rivales à l'entraînement, et que cette situation peut parfois engendrer des clivages au sein de l'équipe. Il est important que les entraîneurs contrôlent ce type de processus pour l'orienter vers celui d'une fraternelle émulation, *a fortiori* le jour des matches, où, plus que jamais, les différents sous-groupes doivent être amenés à s'épauler, s'encourager, collaborer jusqu'à ne plus former qu'une équipe, tendue vers le projet commun de gagner.

Pour faire progressivement « monter la sauce » de la concentration et de la détermination collective, le responsable de l'échauffement va introduire, d'abord très espacées, puis de plus en plus rapprochées, des séries d'exercices (« jumping jacks », flexions de jambes, de tronc...) que les joueurs devront accomplir rigoureusement ensemble, en les scandant collectivement à pleins poumons. En fin d'échauffement, les joueurs seront réunis pour exécuter une série d'exercices de « réaction » : l'entraîneur donne un signal (auditif ou visuel), et l'ensemble des joueurs réagit le plus vite possible en frappant ses protections de cuisses vigoureusement (ou son casque, ou ses mains...), l'exercice prenant fin quand est obtenue une réponse collective immédiate, tonique (bruyante), parfaite. Puis l'entraîneur prinicipal réunit l'ensemble des joueurs au vestiaire pour, à l'instar de nombreux sports collectifs, leur faire une allocution qui peut avoir des aspects techniques ou tactiques, mais qui, avant tout, se veut stimulante, galvanisante, et où son talent de « meneur d'hommes » va trouver matière à s'exprimer. Il ne reste plus à l'équipe, en principe « gonflée à bloc », qu'à regagner le terrain, puis pousser, tous joueurs confondus en une masse compacte, son « cri de guerre » (slogan qui se promet toujours la victoire), et entamer le match à « 100 à l'heure », après le tirage du « toss ».

Il nous semble nécessaire de souligner que de réels problèmes peuvent être soulevés par le type de préparation psychologique auquel certains entraîneurs prétendent soumettre leurs effectifs, nous allions dire leurs troupes : ceux-ci, brandissant l'alibi de l'efficacité à tout prix, confondent sciemment motivation sportive et conditionnement para-militaire ; ils préfèrent susciter des réactions malsaines et, présentant les adversaires comme des ennemis qu'il faut mépriser, haïr et détruire, s'adresser aux instincts de destruction de « leurs » joueurs, plutôt que de s'adresser à leur goût de l'émulation, leur combativité ludique et leur intelligence, pour stimuler leur détermination et leur fierté d'athlètes à vaincre, dans le cadre civilisé des règles, des concurrents qui, avant tout, doivent être respectés.

Même si ce type dangereux d'entraîneurs est minoritaire, il faut savoir qu'il existe, représenté çà et là, aussi bien outre-Atlantique (surtout chez les « semi-pros ») qu'en Europe (et, malheureusement, pas seulement en FA) ; rien ne sert de se voiler la face, il faut au contraire repérer le mal pour le combattre, et il ressort de la responsabilité des cadres fédéraux, partout où le FA s'implante et se développe, d'interdire toute activité footballistique à ceux des dirigeants dont le comportement est contradictoire à l'éthique sportive.

◀ PENDANT LE MATCH

Le « tirage au sort » est effectué au centre du terrain, par les arbitres, en présence des capitaines des deux équipes (souvent au nombre de 4 par équipe, 2 attaquants, 2 défenseurs). Il permet de déterminer quelle équipe donne le coup d'envoi, et quel côté du terrain chaque équipe va défendre au premier quart-temps. Le premier « kick-off » est maintenant botté et la partie s'engage ; à tour de rôle les escouades offensives et défensives, ainsi que les unités spéciales, vont se succéder sur le terrain tout au long des trois bonnes heures que va durer la rencontre. Mais l'équipe qui dispute le match ne se limite pas aux 45 « casqués », et plusieurs unités de direction et d'assistance (qui, sans être constituées de joueurs au sens strict du terme, regroupent un personnel de membres de l'équipe à part entière) vont déployer, autour du « banc » de touche, une activité aux multiples aspects, qui sera déterminante pour l'efficacité générale.

■ **Le groupe des entraîneurs (« coaching staff ») :** nombreux, strictement organisés et même hiérarchisés, dans une équipe de haut niveau, les entraîneurs dirigent en fait la partie depuis la touche, et l'on a écrit parfois que le vrai match se jouait entre « coaches » adverses par joueurs interposés : après avoir déterminé la stratégie, ils décident aussi des « tactiques », et font connaître la nature de leurs choix aux capitaines qui doivent les mettre en œuvre sur le terrain, par un système de signaux visuels codés, réalisés à l'aide des mains ouvertes ou fermées, des bras fléchis ou tendus... ; à la place de ce type de signaux, ils utilisent parfois un joueur qu'ils envoient, au début du « huddle », à la fois remplacer un de ses partenaires, et porter le message du prochain jeu à exécuter. Ils dirigent les nombreux remplacements des joueurs, décident de l'utilisation des différentes formations, s'adressent aux arbitres pour demander des « temps morts » ou émettre des réclamations, procèdent à de multiples corrections techniques et tactiques en cours de match, en réalisant de mini séances de « tableau noir » adressées aux escouades qui viennent de quitter le terrain... Ils sont, tout au long de la rencontre, en communication par « talky-walky » avec des

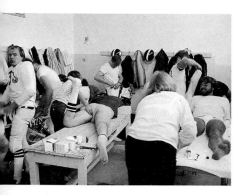

assistants qui, placés très haut dans les tribunes, observent à la jumelle les formations adverses (essayez donc de suivre une partie d'échecs en plaçant vos yeux au ras de la table, à la hauteur de l'échiquier), et leur apportent des renseignements susceptibles d'engendrer des ajustements stratégiques et tactiques décisifs. Certains entraîneurs, qui bénéficient, dans leurs formations, de capitaines d'expérience, laissent à ces derniers une grande liberté tactique, n'intervenant, d'une façon directive, que dans les situations délicates.

Composition classique d'une « équipe d'entraîneurs » : à la tête du groupe, l'entraîneur en chef (« head coach ») : il préside à l'élaboration du programme d'entraînement, oriente les grandes options stratégiques ; en cours de partie, il intervient dans tous les aspects du jeu, et prend la responsabilité de toutes les décisions tactiques importantes. Aux U.S.A., le « head coach » de l'équipe professionnelle est, dans les grandes villes où il en existe une, un véritable notable, au rang du maire ou d'un sénateur.

Les assistants directs du « head coach » sont les coordonnateurs offensifs et défensifs, chargée de diriger l'activité globale et régulière respectivement de l'attaque et de la défense.

Ils ont sous leur responsabilité les entraîneurs des différents sous-groupes ressortissant à leur propre escouade : celui des OLM, celui des RB, celui des receveurs, et celui des QB pour ce qui concerne l'attaque, celui des DLM, celui des LB, et celui des DB, pour ce qui concerne la défense.

■■■ **L'équipe médicale** est composée d'un médecin spécialiste de traumatologie sportive, et de kinésithérapeutes. Elle intervient tout d'abord, nous l'avons vu, préliminairement au match (« strappings », massages, conseils d'ordre diététique...). En cours de match, elle intervient auprès des éventuels blessés pour délivrer les premiers soins, et opérer un diagnostic qui déterminera la décision soit d'évacuer le joueur vers un hôpital, soit de lui faire au moins quitter la partie, soit, en cas d'atteinte bénigne, de réaliser les actes (« strapping », manipulation, glaçage...) lui permettant de reprendre sa place dans des conditions de sécurité et de confort satisfaisantes.

■■■ **Les managers** n'ont au FA aucun rôle d'ordre tactique ou technique au niveau du jeu. Ils sont, en fait, chargés de gérer l'aspect matériel des choses, aspect lourd et diversifié : réparation du matériel des joueurs endommagé en cours de match, convoyage, organisation, répartition, distribution du matériel d'échauffement, des ballons, de la nourriture, de la boisson, des couvertures et autres coupe-vent, assistance matérielle de l'équipe médicale. Leur activité est souvent ingrate, mais de leur efficacité peut dépendre, à certains moments difficiles, le maintien du moral des troupes.

■■■ **Les « cheer-leaders » (« pom-pom girls ») :** littéralement « meneuses de claque », elles sont, en principe, chargées de galvaniser les supporters de leur équipe et de lancer des slogans d'encouragement à « leurs » joueurs, slogans adaptés au déroulement de la partie. Durement sélectionnées, longuement entraînées gymniquement, et parfaitement au fait de la connaissance du jeu, elles constituent, dans le cadre de certaines équipes professionnelles, un groupe nombreux (20, 30 ou plus), dont les plastiques agréables, les tenues affriolantes et les « chorégraphies » dynamiques, quoique sommaires et stéréotypées, visent plus à désennuyer le spectateur moyen, lors des fréquents temps morts et pendant la « mi-temps », qu'à réellement orchestrer la claque ; quand bien même, et sans parler de la caricature que nous offrent trop souvent les équipes européennes, avec, en particulier, des « cheer-leaders » qui ignorent tout du jeu, il n'est pas besoin de s'attarder sur cet aspect lamentable et suranné de l'image de la femme juste bonne à être charmante, et à l'être au service du viril héros, pour gager que, au contraire des « coaches », médecins, et autres managers, les « pom-pom girls » ne sont pas indispensables à l'efficacité de l'équipe.

6
ASPECTS MÉDICAUX

TRAUMATOLOGIE ET PRÉVENTION

Des études faites sur plusieurs disciplines sportives ont montré que le FA était la discipline qui demandait le plus d'aptitude aux mouvements. Il est aussi aérobique que la course de longue distance et demande dès capacités anaérobiques retrouvées dans les courses de courte distance.

Le FA demande une grande force musculaire, de l'endurance, de l'équilibre, de la vitesse, de l'agilité, de la coordination, du rythme, de la souplesse, de l'attention, de la discipline et de la créativité.

Les accidents au FA sont dus à de nombreux facteurs dont le principal est la course. Celle-ci est particulière car elle se fait à grande vitesse avec des changements brutaux de direction, des sauts, des courses en arrière, des courses brutalement coupées, des courses en zigzag, des arrêts et des démarrages rapides, tout cela étant associé à des contacts et des collisions avec des adversaires, et parfois même, des partenaires.

A côté des qualités citées plus haut et qui sont exigées par ce jeu, il est également nécessaire de posséder une bonne vision périphérique et d'être capable d'appréhender les phases de jeu qui peuvent être dangereuses.

L'emploi de termes techniques à l'origine de certains types d'accidents permet de définir des techniques illégales et dangereuses :

— « spearing » : qui consiste à utiliser le sommet de sa tête pour faire un contact. La partie du corps touchée est alors le cou.

— « chop-blocking » : l'attaquant est engagé dans un bloc avec un défenseur ; un second attaquant heurte le défenseur sous la ceinture. Le deuxième homme est alors « haché ». Les parties du corps touchées sont le genou et la cheville.

— « leg-whipping » : un attaquant est à terre ; un défenseur court, l'homme au sol lui saisit la jambe, entraînant sa chute. La partie du corps touchée est le genou.

— « butting » : c'est l'utilisation de la tête casquée comme une arme contre la tête de l'attaquant pendant le bloc. La partie du corps touchée est la tête et le cou.

— « clipping » : il s'agit d'un bloc par l'arrière sous la ceinture. La partie du corps touchée est le genou.

Ces techniques dangereuses sont sanctionnées par des pénalités et doivent être parfaitement connues de tout joueur. Les joueurs expérimentés sont capables de les appréhender et donc de les éviter. Par l'expérience, l'habileté, la crainte des punitions, on parvient à marginaliser ces phases de jeu génératrices d'accidents.

L'ÉQUIPEMENT

L'amélioration des casques a permis de réduire notablement les accidents de la tête, mais, malheureusement, les casques sont devenus si solides qu'ils peuvent eux-mêmes être à l'origine d'accidents. Ces accidents peuvent aller de la simple contusion à la fracture et à la luxation sévère.

Dans un effort de protection contre de tels accidents, les épaules, les hanches et les cuisses sont également protégées. Ces protections servent aussi à protéger le joueur du contact qu'il peut avoir avec le sol. La position de ces protections est également réglementée. Selon la fonction de chaque joueur, ces protections ont des caractéristiques particulières permettant de courir plus librement, de lancer la balle plus aisément, de mieux protéger les épaules pour les joueurs très sollicités par des contacts fréquents. Le casque et les protections constituent une partie de l'équipement, et l'on ne saurait être complet sans parler des chaussures qui peuvent être source d'ennuis directement pour le pied mais aussi pour les articulations sus-jacentes. Pour préciser cette notion, nous nous attacherons plus spécifiquement à donner les éléments qui sont à l'origine d'accidents.

En effet la longueur des crampons peut être responsable d'accidents, s'ils sont très longs sur un sol dur ils provoquent une instabilité du pied, s'ils sont en trop petite quantité ils risquent de bloquer le pied au sol et donc être responsables de torsion du genou avec rupture du ligament croisé antéro-externe du genou. D'où la nécessité d'utiliser des crampons en grande quantité et de petite taille.

CLASSIFICATION DES ACCIDENTS

On ne peut pas donner une liste spécifique d'accidents causés par le FA, cette liste ne serait pas différente de celle donnée dans un manuel courant de traumatologie. Cependant on peut diviser en deux sortes les types d'accidents :

■ **Ceux de caractère mineur :** ils imposent un arrêt moyen de 15 jours et permettent une reprise progressive sans séquelles.

■ **Ceux de caractère majeur :** en dehors des accidents mortels, on place ici les accidents qui éloigneront le joueur des terrains pendant plusieurs semaines voire plusieurs mois, et qui laisseront des séquelles. Ces séquelles peuvent ne pas être présentes immédiatement mais apparaître après l'arrêt de l'activité. On parle ici d'arthrose précoce, c'est-à-dire une arthrose survenant chez des sujets jeunes.

Par ailleurs, selon la place occupée par chaque joueur, les qualités requises sont différentes et les accidents diversifiés.

Les « quarter backs » sont des chefs d'équipe : ils doivent donc mener le jeu et être capables de réagir rapidement à toute situation ; cela les oblige à avoir une condition physique excellente, car cette lucidité n'est pas compatible avec la fatigue physique. En outre, les qualités du QB doivent lui permettre de courir, de lancer, de frapper la balle au pied, de lutter, d'être mobile et d'avoir des réactions rapides. Les QB ont une carrière de 7 à 11 ans en moyenne, leurs qualités et leur talent font qu'ils ne sont pas faciles à remplacer, si bien qu'en cas de blessure on sera amené à envisager des gestes chirurgicaux leur permettant de reprendre leur place rapidement.

Les « linebackers » sont plus mobiles et plus petits en taille que les « linemen » auxquels ils sont souvent confrontés. Ils doivent être mobiles dans les mouvements latéraux et arrière ; ils ont besoin d'un bon équilibre, d'une bonne vision périphérique leur permettant de voir l'adversaire qui les charge sur les côtés. Ils doivent être capables de revenir en arrière, de se déplacer en diagonale, de sauter, de couper leur course pendant l'action de jeu.

Les « safeties » et les « corners » qui défendent en seconde ligne sont relativement plus petits mais sont plus rapides, ils sont plus souvent touchés à la tête, au cou, aux épaules.

Les « running backs » sont des athlètes dont la carrière est souvent courte (entre 4 et 7 ans). Ils sont compacts et rapides, leur course est souvent hachée, coupée, ce qui les oblige à de multiples changements de direction et de sauts, si bien que les articulations qui sont de plus fréquemment touchées chez eux sont les chevilles et les genoux.

Les receveurs, qui récupèrent les passes, sont en état de faiblesse lors de la réception de la balle. Leur principale caractéristique est la course rapide avec des phases d'accélération et de décélération brutales si bien qu'ils sont le plus souvent atteints aux muscles des cuisses (ischio-jambiers et quadriceps) ; l'atteinte de ces muscles est pour eux un sévère handicap.

EXAMEN PRÉALABLE A LA PRATIQUE

Le dépistage du profil d'un individu est extrêmement important en sport, particulièrement pour le FA. Le but majeur est de protéger l'individu des risques liés à une participation intensive sur des déficits physiques, par exemple atteinte cardiaque congénitale, lésions pulmonaires graves, troubles rachidiens majeurs.

Le médecin peut écarter du FA et réorienter des individus qui ont des séquelles sévères d'accidents pouvant plus tard leur porter préjudice. Après analyse des résultats, on peut constater que l'intervention chirurgicale n'est pas un point d'arrêt à l'activité sportive. Cependant les bons, voire les très bons résultats obtenus à court terme par la chirurgie, n'éliminent en rien le risque d'arthrose chez ces sujets.

L'examen clinique devra donc comporter :

— un bilan cardiovasculaire avec prise de la fréquence cardiaque, de la tension artérielle. Auscultation de l'aire cardiaque ;

— un bilan de la statistique rachidienne ;

— un bilan des articulations périphériques.

Par bilan, on entend un examen clinique précédé d'un interrogatoire qui permettra de connaître les antécédents du sujet et les éventuels motifs d'hospitalisation.

Si les tests d'efforts simples sont habituellement pratiqués, il semble aujourd'hui que leur intérêt n'est pas ce qu'il devrait être lors de leur mise en place.

Devant le moindre doute, le praticien devra s'entourer des examens complémentaires dont il estimera l'intérêt dans la délivrance du certificat de non-contre-indication à la pratique du FA.

Cet examen aboutit donc à la délivrance d'un certificat qui engage celui qui le signe. Ce certificat est valable un an à partir de sa date de délivrance. Il est obligatoire pour tout sujet désirant pratiquer un sport en compétition, mais il n'est pas obligatoire à la pratique de l'entraînement. Il est cependant fortement recommandé que, pour tout sujet s'adonnant de façon régulière à une activité sportive, il soit pratiqué un examen de contrôle qui permettra au sportif de connaître ses limites. L'examen clinique donnant lieu à la délivrance d'un certificat n'a pas pour but d'interdire ou d'autoriser de façon absolue une activité sportive, mais il a surtout pour objectif d'orienter un sportif vers la pratique d'une activité qui lui sera la plus adaptée. En sachant que toute activité sportive est adaptable à chacun, selon son niveau de pratique et selon son attente de l'activité pratiquée. Ce qui nécessite de la part du praticien consulté une bonne connaissance de l'activité physique et sportive et des sports spécifiques s'y rattachant.

C'est pour cette raison que nous n'avons pas fait figurer une liste exhaustive de non-contre-indication à la pratique du FA ; cette liste ne comprendrait pas d'affections spécifiques qui empêcheraient un sujet de pratiquer cette discipline plus qu'une autre.

Et c'est au praticien que revient, en toute connaissance de cause, le devoir d'apprécier ou non le caractère éliminatoire d'une pathologie à la pratique du FA.

ASPECTS TRAUMATOLOGIQUES

LES ARTICULATIONS ▶

Toute articulation est constituée : d'une cavité articulaire remplie de liquide synovial produit par la membrane synoviale ; de surface articulaire recouvrant les extrémités osseuses ; d'une capsule qui constitue un manchon fibreux fermant l'articulation ;

de ligaments plus ou moins individualisés qui constituent des renforcements capsulaires ; parfois il existe des structures intra-articulaires appelées ménisques ou bourrelets, ces structures s'assimilent à celles d'un fibro-cartilage.

Chaque élément anatomique peut être lésé ; les lésions peuvent être de degrés variables et être uniques ou associées. Une lésion méniscale peut s'associer à une lésion ligamentaire, une lésion ligamentaire peut être seule retrouvée.

La lésion peut aussi être aiguë ou chronique et déboucher alors sur la notion de séquelles.

En dehors des manifestations chroniques de caractère inflammatoire entrant dans le cadre d'un rhumatisme inflammatoire chronique, l'ensemble de la pathologie articulaire ici décrite est de caractère traumatique.

Selon les éléments anatomiques lésés, on parlera d'entorse, de chondropathies, de méniscopathie, de capsulité...

Avant d'envisager les lésions par elles-mêmes, il faut savoir que les détails du traumatisme initial et des suites immédiates sont fondamentaux pour la conduite à suivre et pour l'avenir de l'articulation lésée.

■■■ **Les lésions articulaires :** les atteintes ligamentaires et capsulaires vont de la simple entorse équivalant à une distension ligamentaire, jusqu'à la perte de contact articulaire appelée luxation. On décrit donc : entorse simple, entorse de gravité moyenne, entorse grave, subluxation, luxation.

Les éléments cliniques qui permettent d'apprécier la gravité d'une entorse sont : la douleur immédiate, le gonflement, la sensation de craquement.

De ces trois notions, celle qui paraît la plus fiable est : le gonflement immédiat, il est lié à la rupture des fibres vasculaires. La douleur immédiate n'a pas toujours une valeur péjorative, mais c'est surtout la douleur survenant la nuit suivant l'accident qui a une valeur de gravité. La sensation de craquement est un signe également de gravité.

L'existence à l'examen clinique de mouvements anormaux signifie une lésion grave.

Comment procéder sur le terrain ? D'abord envisager le degré de gravité. Cela oblige à faire préciser les circonstances de l'accident ; du temps sera gagné si le praticien de terrain a observé le déroulement de l'accident.

La première question à laquelle il faut répondre : le joueur peut-il reprendre ou non ? ce qui implique la notion d'un diagnostic immédiat le plus précis et le plus rapide possible. Cette décision devra être prise en toute indépendance par rapport à l'entourage (dirigeant, entraîneur, joueur...).

Si la décision est prise de « sortir » le joueur, les premiers soins les plus simples sont le glaçage, l'immobilisation et la prise d'antalgiques associée à celle

Encore une confrontation Sparta-cus-Jets.

d'anti-inflammatoires non stéroïdiens. Ce ne sera que secondairement à distance de l'accident initial que l'on procédera à un nouvel examen plus complet qui débouchera sur la pratique d'examens complémentaires (radiographies...) voire sur une éventuelle hospitalisation.

◀ CHEVILLES

Il s'agit de l'articulation la plus souvent touchée.

Son degré de gravité est souvent moyen : l'accident initial est un varus forcé de l'articulation tibio-tarsienne, au moment de l'accident, il est perçu une douleur plus ou moins vive accompagnée d'un gonflement le plus souvent prémoliolaire externe. Il est nécessaire de sortir le joueur, de le glacer, de surélever le membre, et d'utiliser des antalgiques et anti-inflammatoires.

On pratiquera des radiographies dans les 48 heures, celles-ci auront pour but d'éliminer une fracture. La présence d'une fracture obligera à la pose d'une botte plâtrée.

S'il s'agit d'une lésion ligamentaire simple, le glaçage avec surélévation du membre sera pratiqué avant 48 heures, la kinésithérapie et la rééducation seront débutées dès le 3e jour et cela tous les jours durant 10 jours. La rééducation sera à dominante de renforcement musculaire puis rééducation proprioceptive sur plateau instable de Freeman.

Ce type d'entorse éloigne le joueur des terrains pendant une période moyenne de 3 mois.

◀ GENOUX

Il s'agit d'une structure anatomique complexe et qui sur le plan biomécanique n'est pas fiable.

Le genou est constitué de 3 os, fémur, tibia, rotule. Ils forment 2 articulations :
— fémoro-tibiale mettant en rapport le fémur et le tibia,
— fémoro-patellaire mettant en rapport la rotule et le fémur.

Nous nous intéressons plus spécifiquement à l'articulation fémoro-tibiale. L'extrémité articulaire du fémur est une structure courbe reposant sur l'extrémité articulaire supérieure du tibia elle-même plate. Il n'y a pas d'emboîtement des deux surfaces articulaires. Cette articulation tient par un système ligamentaire passif et un système ligamentaire actif.

Le système ligamentaire passif : ligament latéral interne, ligament latéral externe, ligament croisé antérieur, ligament croisé postérieur.

Le système ligamentaire actif : quadriceps, ischio-jambier, adducteur.

A cela viennent s'ajouter des ménisques en fibrocartilage qui viennent augmenter la surface de contact entre fémur et tibia. Il est donc aisé de comprendre que le genou est, plus que toute autre articulation, le siège d'instabilité, de dérobement, de blocage. La pathologie du genou est riche et elle couvre tous les degrés de gravité, de la simple distension ligamentaire à la rupture multiligamentaire mariée à une pathologie méniscale.

Notre propos n'est pas ici de faire le détail de ces lésions, mais d'avertir qu'un traumatisme de genou ne peut être étiqueté bénin qu'à compter du moment où il a été l'objet d'un examen clinique soigneux. Cet examen clinique sera le point de départ de la mise en route ou non d'explorations complémentaires qui seront ou non suivies de thérapeutiques médicales et éventuellement chirurgicales. La part de la rééducation est également principale.

Comme le football ou le rugby, le FA est un sport dit de « pivot » ; en effet, le genou est souvent sollicité sur des mouvements de rotation associée à un valgus ou un varus. Le mouvement de pivot rotatoire est à l'origine des lésions du pivot central constitué par des ligaments dits « ligaments croisés ». Ce sont le ligament croisé antéro-externe et le ligament croisé postéro-interne, leur lésion est à l'origine d'instabilité et de dérobement.

La grande sollicitation de ces ligaments lors de la pratique du FA implique la nécessité de leur parfait état. Leur lésion est donc grave, la nécessité de leur réparation est à envisager et l'indication opératoire devra tenir compte du niveau de pratique, de l'âge et de la motivation du sujet. Plusieurs types d'interventions peuvent être envisagés, mais il est nécessaire de considérer ici celles qui seront capables de lutter contre la laxité et l'instabilité.

Les affections du genou les plus graves sont celles qui sont à l'origine d'une instabilité fonctionnelle du genou. Cette instabilité est due à la rupture partielle ou complète des ligaments intra-articulaires représentés par le ligament croisé antéro-externe et le ligament croisé postérieur.

Leur rupture se traduit lors de l'examen clinique par l'existence de mouvements de « tiroir ». Le mouvement de tiroir est un mouvement anormal antéro-postérieur retrouvé lors de l'examen clinique. Il peut être direct ou rotatoire et confère ce qu'on appelle une laxité antéro-postérieure et/ou rotatoire.

Lorsque les ligaments latéraux — ligament latéral interne le plus souvent, mais aussi le ligament latéral externe — sont touchés, cela se traduit par une laxité latérale, c'est-à-dire par une sensation de « déboîtement » latéral du genou.

La laxité latérale peut être isolée ou associée à une laxité antéro-postérieure qui peut elle-même être isolée.

Si l'examen clinique est l'affaire des médecins ou des chirurgiens, il est aussi nécessaire que les pratiquants apprennent à les consulter rapidement à la suite

d'un traumatisme du genou. En effet, seul un bilan lésionnel précis, fait rapidement et dans de bonnes conditions, permettra de mener une stratégie thérapeutique adaptée. Que le traitement soit médical ou chirurgical, il sera toujours suivi d'une phase de rééducation plus ou moins longue selon le type de traumatisme.

Seule cette rééducation pourra être la garantie d'une reprise de l'activité dans les meilleures conditions. Cette rééducation se devra d'être suivie d'une phase de réadaptation. Phase au cours de laquelle on réintroduit le joueur sur le terrain de façon progressive avec des protections au genou pour les phases d'entraînement. La rééducation vise à gagner de l'amplitude articulaire, à renforcer les masses musculaires qui sont les éléments actifs de l'articulation, à redonner la sensation. Cette dernière est fondamentale avant toute reprise, la rééducation proprioceptive a pour objet la remise en circuit des récepteurs sensitifs situés au niveau de l'articulation. La stimulation de ces réceptions permet à chaque articulation de solliciter les masses musculaires, d'harmoniser le jeu articulaire et de l'adapter à toute situation nouvelle. La rééducation proprioceptive permet donc à l'articulation blessée de s'autonomiser.

Les ménisques du genou : ils ont leur propre pathologie. Si les lésions ligamentaires peuvent revêtir parfois un certain niveau de gravité, il est plus rare que les ménisques soient à l'origine de lésions graves. Leur atteinte peut être isolée ou associée.

Leur symptomatologie se traduit classiquement par une sensation de blocage du genou associé à une hydarthrose, l'examen clinique retrouve alors une douleur précise sur articulaire interne et externe selon que la lésion méniscale touche le ménisque interne ou externe. Les manœuvres méniscales ont toutes pour but de mettre en compression le ménisque et confirment aussi la présence d'une telle lésion.

Si aujourd'hui les lésions méniscales n'ont plus le caractère de gravité qu'elles avaient antérieurement, c'est surtout parce que leur chirurgie s'est considérablement simplifiée depuis la survenue de l'arthroscopie. Cet acte chirurgical permet à la fois de faire le diagnostic, le bilan lésionnel et permet la thérapeutique. Si l'arthroscopie est en pleine évolution et de plus en plus souvent pratiquée en traumatologie sportive actuellement, c'est parce qu'il s'agit d'un acte court et n'obligeant pas à une longue immobilisation. Il n'en reste pas moins qu'il s'agit d'un acte intra-articulaire qui se devra toujours d'être suivi d'un arrêt d'entraînement de 3 semaines afin d'éviter les séquelles à moyen terme.

L'arthroscopie est un acte simple mais non banal, son indication doit être mesurée. Si l'appui immédiat post-opératoire est possible, la reprise des activités sportives ne devra pas se faire avant un délai de 3 semaines et de façon progressive.

ÉPAULES ▶

Sur le plan biomécanique, l'épaule est un complexe articulaire constitué de 5 articulations :

— la scapulo-humérale qui met en contact la glène de l'omoplate avec la tête de l'humérus ;

— l'acromio-claviculaire qui met en contact l'acromion et l'extrémité externe de la clavicule ;

— la sterno-claviculaire qui met en contact le sternum à l'extrémité interne de la clavicule ;

— la scapulo-thoracique qui permet le glissement de l'omoplate sur le gril costal ;

— la bourse séreuse sous-deltoïdienne qui permet le glissement des muscles de la coiffe des rotateurs sous la voûte sous-acromiale.

Toutes ses articulations fonctionnent en même temps, et leur synergie est obligatoire à l'harmonie de la cinétique de l'épaule.

Une atteinte de l'une de ses articulations retentira à plus ou moins long terme sur l'autre. Ce qui d'emblée nous oblige à dire qu'une rééducation de l'épaule se doit de considérer toutes ces articulations.

Notre propos visera surtout à considérer les articulations scapulo-humérales et claviculaires. Comme toute articulation, elles peuvent être le siège de lésions qui vont de la simple entorse à la subluxation vouée à la luxation complète. Il est cependant nécessaire de préciser qu'une « entorse de l'articulation scapulo-humérale » n'est pas envisageable. Cette articulation est plus souvent le siège de luxation ou de subluxation.

La luxation de l'articulation scapulo-humérale est liée à une mauvaise réception au sol ou lorsque le bras s'accroche à un adversaire.

Le diagnostic sur le terrain est simple, à la douleur s'associe une déformation de l'épaule avec comblement du sillon deltopectoral par la tête humérale.

Le blessé doit être amené le plus rapidement possible auprès d'un médecin qui procédera à la réduction manuelle de l'articulation lésée, celle-ci après immobilisation et glaçage devra être contrôlée radiologiquement. La réduction faite par un médecin se devra d'être simple, douce et sans résistance ; si la réduction ne se produit pas lors des 2 ou 3 premières manipulations, il est obligatoire de conduire le patient vers une structure hospitalière.

La luxation de l'épaule oblige à un arrêt d'activité spécifique de 2 ou 3 mois, l'entraînement physique général peut être repris à base de footing à partir de la 3e ou 4e semaine.

La principale complication des luxations d'épaules est le risque de récidive. Si tel est le cas, la luxation récidivante se traduit par des accidents de luxation survenant

de plus en plus fréquemment pour des traumatismes de plus en plus bénins. Dans ce cas, la luxation devient une indication chirurgicale. Celle-ci a pour but de stabiliser l'épaule en reconstruisant par une butée la partie antérieure de la scapulo-humérale, l'intervention dite de Latarset permet ainsi d'obtenir une épaule stable et d'envisager la reprise du sport dans les délais variables selon le type d'activité.

Comme pour le genou, l'articulation gléno-humérale présente un fibrocartilage faisant ménisque dans l'articulation et appelé bourrelet glénoïdien ; comme cela est habituel dans la pathologie méniscale, la pathologie du bourrelet glénoïdien se traduit par la sensation de ressaut, de blocage, d'insécurité de l'épaule. Comme pour le genou, l'arthroscopie peut constituer une excellente indication. Le bourrelet glénoïdien est touché lors de traumatismes francs et directs dans le cadre d'une luxation scapulo-humérale, mais il peut également être la conséquence de microtraumatismes réitérés lors de la répétition du geste de lancer, ce qui affecte donc plus particulièrement le « quater-back ».

L'articulation acromio-claviculaire est également une articulation fréquemment atteinte au FA. Si ses lésions sont rarement graves, elles sont handicapantes par les douleurs séquellaires qu'elles entraînent. Seule la luxation dite de type III est d'indication chirurgicale. Elle se traduit par une perte totale des contacts articulaires entre l'acromion et l'extrémité externe de la clavicule. Les autres lésions de l'articulation acromio-claviculaire à type d'entorse simple ou de subluxation de la clavicule sur l'acromion sont d'indication médicale. L'utilisation d'anti-inflammatoires, d'antalgiques, de physiothérapie, de strapping, voire d'infiltrations locales permet de trouver la solution thérapeutique.

◀ POIGNETS — MAINS — DOIGTS

Les lésions les plus habituelles qui touchent le poignet, sont des lésions du scaphoïde. Le mécanisme lésionnel est habituellement la réception sur la main avec le poignet en extension. La symptomatologie est insidieuse, la douleur est modérée et peu intense. Elle entraîne rarement une impotence fonctionnelle majeure. Ces signes sont donc trompeurs et ils doivent amener le blessé à consulter un médecin qui, après avoir précisé la localisation douloureuse au niveau du scaphoïde, pourra faire des radiographies du poignet qui même lorsqu'elles sont normales devront être renouvelées 10 à 15 jours après les premiers clichés. En effet, la fracture n'est pas toujours perceptible lors des premières radiographies. Le risque principal de la fracture du scaphoïde, c'est de ne pas l'identifier et qu'ainsi le blessé ne vienne pas consulter. L'évolution de ce type de fracture se fait souvent vers la pseudarthrose, c'est-à-dire une mauvaise cicatrisation osseuse qui se traduit, plusieurs semaines ou plusieurs mois après l'accident initial, par une raideur avec impotence du poignet blessé. Le traitement est long et la reprise sportive n'aura pas lieu avant 3 mois.

Les lésions de la main se résument aux atteintes du métacarpe qui obligent à plâtrer le plus souvent. Les lésions des doigts sont fréquentes et l'on distingue :

■■■ **La pathologie du LLI de la base du pouce** diagnostiquée par l'existence d'une douleur de la face interne du pouce pouvant s'accompagner d'une ecchymose si la lésion du LLI est grave. L'examen clinique révélera alors l'existence d'une instabilité. Lorsque cette instabilité existe, il est préférable de prévoir une consultation chirurgicale, car l'immobilisation plâtrée n'est pas suffisante à la cicatrisation ligamentaire à l'origine de l'instabilité du pouce.

■■■ **Les lésions ligamentaires des autres doigts** sont fréquentes, elles vont de la simple entorse par distension ligamentaire, dont le traitement le plus simple consiste en une attelle faite en tenant le doigt voisin qui est valide ; jusqu'à la perte de contact articulaire dont la thérapeutique immédiate consiste à pratiquer sur le terrain la réduction suivie d'un glaçage, de la prise d'anti-inflammatoires et d'antalgiques avec immobilisation par strapping. La radiographie devra être faite dans un second temps afin d'éliminer une éventuelle fracture osseuse ou ostéo-articulaire voire d'un arrachement de la plaque palmaire, ce qui indique la nécessité d'une intervention.

■■■ **La rupture du tendon extenseur des doigts :** lors d'un traumatisme en flexion forcée du doigt, il peut y avoir rupture du tendon extenseur du doigt, ce qui se traduit par la perte de l'extension du doigt ; le traitement consiste à la mise en place d'une attelle d'extension pour une durée de 6 semaines, l'intervention se discutera s'il existe une lésion associée, d'où la nécessité de faire pratiquer une radiographie.

PIEDS ▶

La pathologie du pied du footballeur est liée, pour partie, au conflit qui peut exister entre la chaussure et le pied, ainsi qu'à la nature du sol sur lequel évolue le footballeur. Nous envisagerons donc plutôt les problèmes posés entre le pied, la chaussure, le sol, plus que toute la pathologie ostéo-articulaire du pied.

■■■ **Le « turf toe syndrom »** est une affection rencontrée chez le footballeur américain mais aussi chez le footballeur et le tennisman, cette affection est due à la pratique répétée sur des sols artificiels. Ce type de surface ne permet pas à la chaussure de glisser sur le sol, la semelle de la chaussure est donc bloquée au sol, et c'est l'ensemble du pied qui vient à glisser dans la chaussure, ce qui provoque un redressement brutal du gros orteil. Ce mécanisme de dorsiflexion de la métatarso-phalangienne du pouce distend et déchire la capsule articulaire ainsi

que les ligaments qui la renforcent. Après radiographie pour éliminer une fracture osseuse, le pied doit être glacé, surélevé et mis en décharge pendant 24 à 48 heures. La phase de reprise ne sera possible que par l'utilisation de semelles rigides limitant la flexion-extension du gros orteil. Ce qui vient d'être cité est valable pour la phase aiguë mais lorsque les accidents se sont répétés, on aboutit à un gros orteil rigide qui a perdu son amplitude articulaire, la radiographie montre alors une articulation arthrosée.

■■■ **L'inflammation des tendons extenseurs des orteils** est la conséquence de plusieurs facteurs :

— des mouvements répétés de flexion plantaire maximale associés à des mouvements de flexion dorsale du pied ;

— des contacts entre les tendons extenseurs des orteils et la languette de la chaussure ;

— une chaussure trop fortement serrée ;

— une chaussure nouvelle à laquelle le pied n'est pas encore habitué ;

— un trouble statique du pied.

Le diagnostic est simple devant une douleur avec sensation de crépitement des tendons extenseurs lors des mouvements de flexion plantaire et de flexion palmaire du pied. Le traitement se devra d'être non seulement symptomatique mais aussi préventif : correction d'un trouble statique du pied, apprentissage d'un laçage correct de la chaussure.

■■■ **Les atteintes du tendon d'Achille :** il s'agit d'une pathologie fréquente du pied du footballeur. Si l'insertion du tendon peut s'inflammer, en fait c'est le plus souvent le corps du tendon à 1 ou 2 cm de son insertion qui est le siège de l'inflammation d'origine traumatique. Si le diagnostic est habituellement facile à porter, il n'en reste pas moins qu'il s'agit d'une pathologie difficile à traiter. De plus, parmi l'ensemble des thérapeutiques utilisées, nous envisagerons plutôt celles qui sont à la portée de chacun. Les mécanismes les plus couramment admis comme étant à l'origine de cette affection sont les terrains durs, les chaussures mal adaptées au pied, le changement de chaussures, le changement de terrain, des séances d'entraînement intensives chez des joueurs non entraînés, des reprises brutales d'entraînement après une phase d'arrêt liée à une blessure, des séances mal adaptées d'étirement musculaire ou tout simplement pas d'étirement du tout, le non-respect d'un échauffement progressif, l'absence d'étirement après une séance dure, la non-correction d'un trouble statique du pied, le non-respect des règles d'hygiène alimentaire et de diététique, la non-absorption d'eau au cours des matches et des entraînements, des repas trop riches en protides, l'irrégularité de la présence aux entraînements, la surcharge pondérale.

Au total, cette liste non exhaustive donne une idée des multiples causes qui peuvent être facilement maîtrisées par le joueur lui-même. D'autres causes existent mais elles nécessitent des investigations supplémentaires et entrent dans le cadre de la consultation spécialisée.

Les éléments de prévention cités ci-dessus sont connus de tous, mais hélas ils ne sont que rarement respectés et ce n'est que devant la symptomatologie douloureuse que les patients s'inquiètent de savoir ce qu'il faut faire pour éviter la douleur. Cependant lorsque la pathologie est présente, il ne faut pas tarder à consulter car les thérapeutiques à utiliser seront d'autant plus efficaces qu'elles seront précoces.

En effet, le passage de la tendinite achilléenne à la chronicité nous conduit à utiliser des thérapeutiques majeures qui auraient pu être évitées si les éléments de prévention cités ci-dessus avaient été respectés.

Il est nécessaire d'avertir les pratiquants que toute douleur de la partie arrière du pied n'est pas systématiquement une tendinite achilléenne ; d'autres structures anatomiques peuvent être le siège de lésions : les bourses séreuses pré et rétro-achilléenne, la partie postérieure de l'astragale, la gaine du tendon lui-même, le calcanéum et la pathologie osseuse qui s'y rattache.

D'autres affections dont le dépistage est à la portée de chacun peuvent également toucher le pied. L'intérêt de cette autoprévention permet d'éviter bien des complications liées à la surinfection de ces lésions, d'autant qu'elles siègent au pied :

■ **L'ongle incarné** est la conséquence de chaussures étroites et d'ongles mal coupés, qui peut aboutir au geste chirurgical lorsque l'infection s'y installe.

■ **L'hématome sous-unguéal** est lié soit à un traumatisme direct ou à des traumatismes répétés entre un ongle trop long et une chaussure trop étroite. Il se constitue une collection sanguine à la base de l'ongle qui doit être évacuée en perçant un orifice en regard de l'hématome ce qui permet au sang de s'évacuer.

■ **Les durillons :** la peau s'épaissit lorsqu'elle est soumise à des pressions et à des frottements répétés sur des zones de petite surface. La couche cornée ainsi constituée forme un durillon, qui peut lorsqu'il est trop important devenir gênant et nécessiter des soins locaux de grattage. Là encore, il est nécessaire de rechercher la cause à l'origine du durillon : chaussure étroite, excroissance osseuse, surcharge pondérale, trouble statique du pied non corrigé.

■ **Les mycoses interdigitales** sont des maladies contagieuses pour lesquelles le respect des règles de prévention suffit le plus souvent à enrayer leur développement. Le diagnostic est simple, on retrouve une zone blanchâtre à la frontière de la peau saine, située le plus souvent entre le 4e et le 5e orteil. Un autre signe clinique habituel est l'existence d'un prurit.

Les mesures de prévention sont simple : lavage et séchage des pieds, changements réguliers des chaussettes, souliers aérés, ne pas marcher pieds nus dans les vestiaires et dans les zones d'activités sportives qui ne sont pas conçues pour cela.

■■■ **Les verrues plantaires** sont des affections fréquentes causées par un virus, elles se transmettent par la marche pieds nus sur un terrain infecté ; elles peuvent être difficiles à distinguer d'un durillon et, comme lui, peuvent s'infecter si elles sont négligées.

■■■ **Les ampoules** sont des irritations locales, conséquences d'un matériel mal adapté : chaussures trop petites ou trop grandes, chaussettes avec des coutures marquées... Le traitement consistera à protéger la zone irritée, lorsque dans un deuxième stade apparaît une ampoule, celle-ci devra être ponctionnée, désinfectée et protégée.

◀■■ LES MANIFESTATIONS MUSCULAIRES

Nous ne considérerons que les atteintes musculaires touchant la cuisse. On distingue plusieurs types d'affections :

■■■ **La courbature** est une myalgie aiguë qui survient dans les heures ou dans les jours qui suivent un travail musculaire intense. Elle se caractérise par une raideur, une faiblesse musculaire et une douleur lors des mouvements actifs.
On distingue 2 types de courbature :
— la courbature immédiate qui survient 2 ou 3 heures après un exercice intense ;
— la courbature différée qui se manifeste de 6 à 8 heures après un effort inhabituel et qui dure 2 ou 3 jours.
La courbature semble l'accumulation de débris cellulaires ainsi que l'œdème et l'augmentation de volume du membre contracturé. Les thérapeutiques sont donc le repos, l'étirement musculaire progressif et l'application de chaleur, ce qui permet d'augmenter le débit circulatoire. A l'inverse, le glaçage, le massage-pétrissage, sont ici néfastes.
La guérison spontanée arrive en 5 ou 6 jours.

■■■ **La crampe musculaire** est une manifestation aiguë paroxystique du muscle. De très nombreuses causes peuvent être à son origine : troubles hydro-électrolytiques, fatigue musculaire, affection génétique, origine musculaire, origine vasculaire.
Seules les trois dernières semblent les causes les plus probables, les déficits hydro-électrolytiques ne concernent que les sujets qui pratiquent des activités très longues sous des climats torrides.

L'accumulation d'acide lactique comme poison du muscle semble être aujourd'hui une notion à remettre en cause. Il n'en reste pas moins que le traitement de la crampe musculaire est classique : mise en tension passive brutale du muscle, massage, récupération active, réhydratation.

■■■ **La contusion musculaire :** les protections standards ne couvrent pas correctement toute la cuisse, car les mouvements de la hanche doivent rester libres. Certaines parties de la cuisse sont donc vulnérables.

La contusion du quadriceps est donc liée à la rupture musculaire par compression directe du muscle. Son diagnostic est facile, mais le traitement est long et difficile. En effet, un muscle ne cicatrise pas en donnant un nouveau muscle, mais en donnant une cicatrice fibreuse dure et non élastique ou bien encore en s'ossifiant, ce qui entre dans le cadre des myosites ossifiantes. Le but du traitement est d'intervenir le plus rapidement et le plus progressivement possible, afin d'obtenir une cicatrice fibreuse la plus fine possible et d'obtenir une amplitude et une force de contraction du muscle identiques à celles avant l'accident.

Le traitement initial consiste dans les 24 à 48 premières heures en glaçage, repos, compression et surélévation du membre. On peut aller si cela est nécessaire jusqu'à faire béquiller. Ce n'est qu'après un délai de 48 heures que l'on pourra équilibrer graduellement en fonction de la douleur : le massage glacé de 10 à 20 mn avec l'étirement passif du muscle devront se faire de manière indolore. Lorsque le genou fléchit à 90° sans douleur, on peut alors commencer les exercices d'étirement et faire travailler les autres muscles de la cuisse : adducteurs, ischio-jambiers, extenseurs. Une telle affection éloigne le joueur des terrains durant 4 à 12 semaines selon l'évolution.

■■■ **La rupture musculaire par distension :** le muscle peut être lésé par contusion directe comme nous venons de le montrer, mais aussi par distension. Le muscle est vulnérable lorsqu'il se contracte, si bien qu'en cas de mauvaise synergie musculaire, les muscles agonistes et antagonistes ne fonctionnant pas de manière synchrone, la contraction musculaire se fait dans de mauvaises conditions et il y a risque de rupture. Les causes sont : sujet fatigué et donc moins vigilant, surentraînement, mauvais entraînement, reprise brutale d'entraînement après une phase de repos pour blessure, muscle déjà blessé et mal rééduqué, muscle exposé au froid, terrains durs.

Les muscles quadriceps et ischio-jambiers sont les muscles les plus souvent touchés dans la traumatologie musculaire. Le diagnostic est porté sur :
— la survenue brutale d'une douleur intense obligeant à l'arrêt complet ;
— une douleur à la palpation de la zone blessée, une douleur à la mise en tension passive, la contraction active est impossible, parfois la palpation peut retrouver une

zone anfracteuse qui peut cependant être comblée par de l'œdème et par l'hémorragie locale et qui alors ne sera pas perceptible à la palpation.

Qu'il s'agisse du quadriceps ou des muscles ischio-jambiers, la rupture musculaire par distension oblige à l'arrêt d'entraînement spécifique pendant 4 à 8 semaines. Le protocole thérapeutique pourra être le repos de façon systématique associé à la surélévation du membre blessé et à une compression pendant 24 à 48 heures. La surveillance thérapeutique se devra d'être quotidienne, elle repose sur la douleur lors de la palpation du muscle, lors de sa mise en extension passive, lors de la contraction isométrique.

La rééducation consistera à étirer progressivement le muscle dans des amplitudes non douloureuses, la reprise de la course se faisant de façon progressive et par palier. Il faut savoir également différer la reprise d'entraînement de quelques jours en cas de doute.

La rééducation devra toujours porter sur les autres muscles du segment de membre concerné par la blessure ; par exemple, une lésion du quadriceps comportera une phase de soins concernant le muscle blessé et une phase de rééducation concernant le quadriceps et les ischio-jambiers ; cela afin d'éviter les déséquilibres musculaires.

Les risques d'une rééducation trop hâtive peuvent se traduire par la survenue d'une ossification musculaire qui ralentira les progrès de la rééducation. Le muscle est alors dur et ne se laisse pas étendre normalement ; il devient raide. La radiographie montre une masse opaque et non homogène qui fixera à la scintigraphie.

Le risque d'une reprise trop précoce et trop brutale est la récidive. La récidive d'une lésion musculaire multiplie par 2 ou 3 le temps total de l'arrêt. La rupture musculaire ne fait que rarement l'objet d'une indication chirurgicale. Celle-ci présente un intérêt lorsqu'il existe une rupture tendineuse ou un arrachement osseux.

Dans ce chapitre plus que dans tout autre, la prévention est la priorité. Cette prévention est également à la portée de tous et, bien pratiquée, elle mettra le joueur à l'abri des longues périodes d'isolement liées à l'arrêt du sport. La prévention des accidents musculaires est connue de tous et comporte : un échauffement progressif, des étirements, des assouplissements pour lutter contre l'enraidissement musculaire, des phases de récupération active après les séances d'entraînement dur, les exercices doivent être répétés régulièrement, respecter les délais de reprise après blessure, toujours reprendre progressivement.

Les éléments négatifs sont : l'absorption d'alcool, la consommation de tabac, l'entraînement à froid, le massage musculaire avec des produits « chauffants » qui ne crée qu'une sensation de chaleur cutanée sans que le muscle en soit pour autant échauffé.

La prévention est une phase de l'entraînement qui est particulièrement ingrate ; car ses résultats ne sont pas réellement quantifiables et l'on n'a pas l'impression de travailler. Cependant les statistiques le prouvent et notre expérience d'homme de terrain le confirme, les joueurs qui appliquent ces règles sont plus souvent présents sur le terrain et de façon plus régulière que ceux qui ne les respectent pas. Les premiers obtiennent donc de meilleurs résultats et sont plus disponibles pour l'équipe. Il est du reste difficilement concevable que, dans un sport d'équipe, chacun n'applique pas ces règles collectives.

LE RACHIS ▶

Le rachis cervical et le rachis lombaire sont des régions anatomiques particulièrement sollicitées chez le footballeur.

■ **Le rachis cervical :** lors de sa survenue, tout traumatisme cervical doit faire l'objet d'un examen soigneux. Cet examen portera sur le rachis lui-même mais avant tout sur les structures neurologiques qu'il protège.

Tout le problème est d'être capable d'évaluer le degré de gravité de ce type d'accident sur le terrain. Or cette pathologie ne donne pas systématiquement une symptomatologie en rapport avec la nature des dégâts. Et ce qui passe pour être une simple entorse cervicale peut parfois se compliquer de graves troubles neurologiques qui s'installent secondairement. D'où la règle d'une prudence extrême devant ces accidents rachidiens cervicaux.

Les signes qui permettent d'envisager le diagnostic sont avant tout les circonstances de survenue de l'accident, l'existence d'une sensation de décharge électrique dans un membre, une attitude antalgique, des points douloureux lors de la palpation des masses musculaires paravertébrales, des apophyses postérieures des ligaments inter et surépineux.

Même si ces signes n'existent pas, il est obligatoire de faire des clichés radiographiques simples que l'on complétera 10 jours plus tard par une seconde série de clichés alors dynamiques.

Dans la période intermédiaire, il faut réexaminer le blessé et lui faire poser un collier cervical, dans l'attente de la seconde série de clichés. Toute mobilisation intempestive durant cette période ne pourra qu'être source d'ennuis !

De nouveau et comme pour les chapitres précédents, nous insisterons sur la nécessité de faire des exercices de renforcements musculaires des muscles rachidiens.

Le travail du rachis cervical lors de l'entraînement ne comportera pas uniquement un travail de renforcement musculaire mais également un travail de tonicité musculaire avec comme objectif non pas le volume musculaire mais la capacité

du muscle à se contracter de manière appropriée lors du choc ou lors du mécanisme traumatisant, on parlera donc plutôt de tonicité musculaire. A cette phase vient s'ajouter celle de la rééducation proprioceptive, elle vise à solliciter les récepteurs situés dans les tendons et les muscles et qui permettent à toutes les articulations, qu'elles soient périphériques ou rachidiennes, de s'adapter à la situation dans laquelle elles sont susceptibles de se trouver.

■■■ **Le rachis lombaire :** la pathologie rencontrée le plus fréquemment est le lombago aigu, la sciatique par hernie discale ; afin de se mettre à l'abri de ces accidents, il est nécessaire que chaque joueur entretienne sa musculature abdominale et lombaire. Les exercices de base sont le travail en isométrie. Il permet de renforcer la tonicité musculaire, le renforcement musculaire n'aura de valeur que si les séances d'entraînement s'accompagnent d'une rééducation proprioceptive lombo-pelvienne. Cela signifie que le travail lombaire ne doit pas seulement concerner le rachis lombaire mais aussi les hanches, le bassin, la charnière lombosacrée, la charnière dorsolombaire, les muscles des cuisses quadriceps et les muscles ischio-jambiers.

LE STRAPPING

Il s'agit d'une méthode de contention souple utilisant des bandes élastiques et adhésives.

Toutes les articulations, en dehors de celle de la hanche, peuvent être strappées. Les articulations le plus souvent immobilisées par ce mode de contention sont les chevilles, les genoux, les doigts, plus rarement les coudes et les poignets. La mise en place d'une bande de contention adhésive sur une articulation fait l'objet de différentes indications :

— il peut s'agir d'un accident récent, type entorse de cheville de moyenne gravité, pour laquelle l'immobilisation par botte plâtrée de 3 semaines semble un peu lourde. Dans ce cas, il s'agit d'immobiliser la cheville de manière qu'elle ne puisse être mobilisable dans aucune direction articulaire ;

— l'intérêt du strapping est également de limiter une articulation qui a été blessée, soignée, rééduquée et sur laquelle le joueur va reprendre son activité. Cette phase intermédiaire entre fin de rééducation et remise en activité se passera d'autant plus progressivement qu'elle sera immobilisée par une contention souple ;

— l'indication peut aussi se faire à distance d'un traumatisme, dans ce cas, il s'agit moins d'une réelle immobilisation que d'une protection de caractère proprioceptif. En effet, la présence d'une bande adhésive au contact de la peau permet de mieux

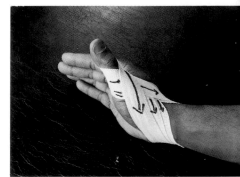

Matériel pour un strapping de cheville après lésion du ligament externe. Rasage et application d'une colle permettent adhésion de la bande élastique et protection de la peau lors de l'ablation du strapping.

Après avoir mis en place une bande circulaire de 6 cm de large, on pla 3 ou 4 bandes de 3 cm en étrier, fixées de façon à relever le pied v l'extérieur. La bande circulaire sert d'amarrage à l'étrier.

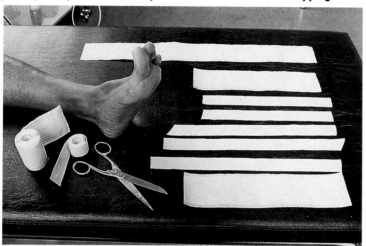

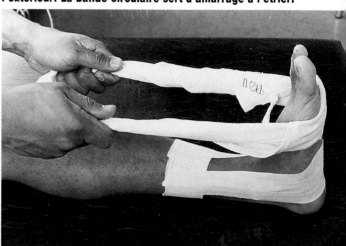

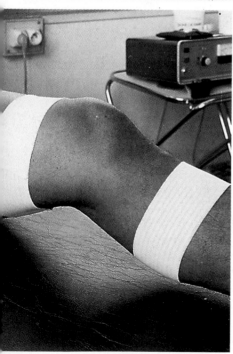

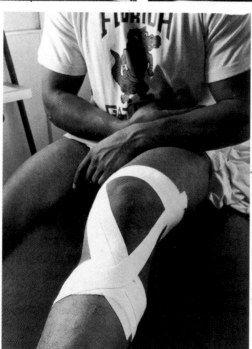

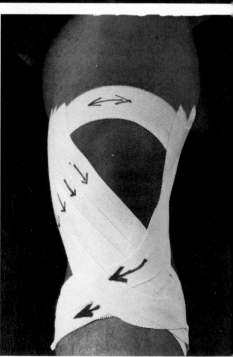

Strapping pour lésion ligament latéral interne gauche. Après rasage et application d'une colle spéciale, mise en place de 2 bandes de 6 cm qui serviront d'amarrage aux autres.

Mise en place des bandes latérales de 3 cm à raison de 4 ou 5 bandes circulaires et 2 ou 3 en externe. Les bandes doivent être placées de haut en bas et passées sous la rotule.

Mise en place de 2 nouvelles bandes circulaires qui empêchent les bandes latérales de glisser. Renforcer par des bandes adhésives non élastiques.

... en place de 2 bandes de 3 cm pour limiter le jeu antéro-postérieur.

On termine le strapping par une bande en huit qui ferme l'articulation. Rajouter 2 ou 3 bandes non élastiques mais adhésives.

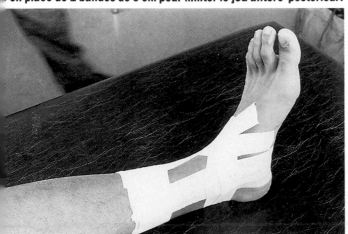

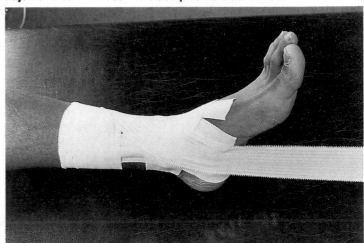

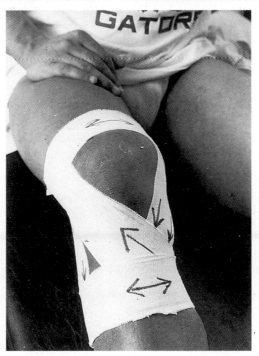

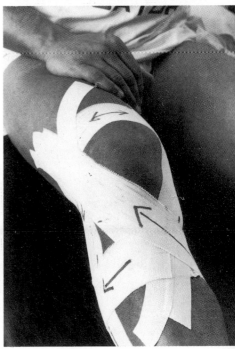

Même démarche pour le ligament latéral externe que pour le ligament latéral interne, si ce n'est que les principaux

renforts se situent sur le compartiment concerné du genou.

Achèvement du strapping.

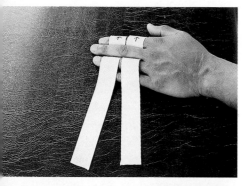

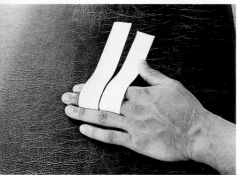

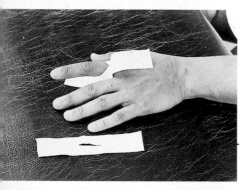

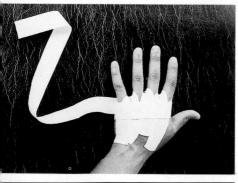

faire « sentir » au joueur les degrés d'amplitude articulaire où il est encore faible ;
— par ailleurs, le strapping peut être mis en place de façon préventive visant à protéger une articulation souvent sollicitée.

Compte tenu de ces différentes indications, le type de contention souple à mettre en place sera variable selon l'usage que l'on désire en faire. Il existe donc des bandes élastiques adhésives, des bandes non élastiques adhésives, des bandes de largeur différente.

L'intérêt de l'utilisation de bandes de contention souple est : leur facilité d'utilisation, leurs diverses possibilités d'indication, leur emploi par chacun, leur possibilité d'utilisation répétée, elles permettent également de réexaminer facilement une articulation, ce qui permet d'observer quotidiennement les progrès dus au traitement. En effet, s'il existe des délais de cicatrisation moyens pour l'ensemble de la population, il existe également des sujets qui « récupèrent » plus rapidement que d'autres, si bien que la bonne accessibilité de l'articulation par l'ablation de la bande de contention permet de savoir à quel stade de guérison se situe l'articulation, ces bandes autorisent la poursuite des soins locaux de physiothérapie, de kinésithérapie, de lutte contre l'œdème et la douleur.

Ne pas savoir se séparer d'une contention entraîne des risques : de présenter de petites lésions cutanées par la répétition de l'ablation des bandes adhésives ; une bande laissée en place trop longtemps perd ses qualités d'élasticité ; de mal poser la contention, ce qui laisse un faux sentiment de sécurité.

Comment se fait la pose d'une bande de contention souple ? Il est nécessaire de raser la peau car lorsque l'on retire la bande adhésive, on risque d'arracher des follicules pileux qui peuvent secondairement s'infecter ; appliquer sur la peau de la teinture de benjoin, ce qui augmente l'adhésivité de la bande à la peau et ce qui crée un film protecteur entre la peau et la bande ; on place des bandes circulaires qui vont servir d'amarrages aux autres bandes ; puis on met les bandes de renforcement latéral en fonction des ligaments lésés, il est préférable d'utiliser plusieurs bandes selon un trajet similaire plutôt qu'une seule bande large. En effet, chacune de ces petites bandes sera plus résistante qu'une seule bande large ; on termine le strapping en plaçant une bande plus large qui ferme l'ensemble ; on régularise aux ciseaux tout ce qui dépasse.

Les bandes le plus souvent employées sont des bandes de 3, de 6 et 8 cm. Dans le cas des traumatismes costaux, on utilisera de larges bandes de 20 cm.

Il a été pris comme exemple de strapping les articulations qui paraissent le plus souvent atteintes : le genou, la cheville.

Les lésions des doigts et du pouce sont telles qu'il est également nécessaire d'indiquer les possibles contentions à proposer.

■■ **Contention souple de la cheville :** il s'agit ici d'une lésion des faisceaux du ligament latéral.

■■ **Contention souple du genou** pour une lésion mineure du ligament latéral interne.

■■ **Contention souple des doigts.**

LE DOPAGE

Connu depuis longtemps, il fait aujourd'hui l'objet d'un contrôle sévère. Le dopage peut se définir comme l'utilisation de substances qui visent à améliorer artificiellement les possibilités naturelles d'un individu. Non seulement le dopage est une tricherie vis-à-vis de l'adversaire contre lequel on lutte, mais, de plus, il est directement nocif pour celui qui l'utilise. Plusieurs exemples de cas mortels ont déjà été décrits.

A ces cas mortels viennent s'ajouter :

— les sujets qui sont secondairement décédés de cancers, à l'origine desquels la prise de produits dopants a pu être confirmée ;

— les sujets stériles ;

— les sujets blessés de façon répétée qui n'ont pas pu poursuivre leur carrière ;

— la dépendance de sportifs aux produits qu'ils utilisent comme produits dopants.

Actuellement sont considérés comme produits dopants :

— les stéroïdes anabolisants,

— les psychostimulants amphétaminiques,

— les produits contenants de l'éphédrine et de la codéine,

— les bétabloquants,

— les narcotiques morphiniques,

— les diurétiques,

— la caféine, qui est la seule molécule qui soit dosée de façon qualitative.

Ces produits sont dosés dans les urines de façon qualitative, et quantitative, où des doses infinitésimales peuvent donc être retrouvées, leur présence induit le caractère positif du contrôle et amène aux sanctions normalement prévues par la fédération à laquelle l'athlète est licencié.

Les autotransfusions font partie des manipulations à visée dopante.

Page ci-contre :
Photos en haut : bandage de lésion des articulations interphalangiennes. On utilise comme attelle le doigt valide voisin du doigt blessé.
Photos du bas : bandage de lésion des articulations métacarpo-phalangiennes.
Ci-dessus : l'homme bandé prêt à l'exercice !

LE PROBLÈME
DES JEUNES

Les passionnés de FA, dont nous sommes, doivent savoir reconnaître que ce sport présente des risques traumatiques non négligeables. Le goût du risque et de l'« engagement physique » est, sans nul doute, un trait psychologique constant des sportifs qui choisissent de s'y consacrer ; mais, tout au moins, peut-on penser que les adultes qui font ce choix, le font en connaissance de cause, après avoir mis en regard, d'une façon responsable, le niveau de pratique qu'ils envisagent, et la forme physique et le style de vie qui peuvent être les leurs.

Il n'en va pas de même chez les enfants et les jeunes adolescents (considérons ici ceux de 9 à 15 ans), dont l'attirance pour une activité brillante n'est pas à même d'être pondérée par une appréciation réelle de la nature des dangers encourus, et le problème est d'autant plus délicat que leur organisme, en pleine croissance, les rend particulièrement vulnérables : on ne répétera jamais assez que l'enfant n'est pas un adulte en réduction, mais un être en voie de développement, qui présente, à chaque moment de ce développement, des particularités psychologiques et physiologiques importantes, impliquant d'énormes précautions de la part de ceux, entraîneurs, enseignants et même parents, qui prétendront pouvoir diriger ses activités physiques et, à un titre quelconque, concourir à sa formation.

Tout en sachant que l'appareil cardiovasculaire, également en pleine croissance dans cette tranche d'âge, nécessite beaucoup d'attention, nous limiterons volontairement notre propos, ici, à quelques exemples concernant l'appareil locomoteur, parce que ce dernier est particulièrement sollicité dans les conduites d'affrontement qui caractérisent le FA. L'immaturité des structures osseuses, cartilagineuses, ligamentaires et musculo-tendineuses, rend le système ostéo-articulaire de l'enfant très sensible non seulement aux traumatismes, mais aussi au surmenage et aux micro-traumatismes, susceptibles d'engendrer des détériorations dont les séquelles peuvent handicaper le futur adulte tout au long de son existence. Citons les lésions des cartilages de conjugaison (responsables de la croissance, en particulier, des os longs des membres), et spécifiquement, le décollement de ces cartilages, qui déterminent des troubles, des déséquilibres de croissance et des anomalies de constitution osseuse. Citons les détériorations irréversibles de la colonne vertébrale : le « malmenage » rachidien (chocs, étirements brutaux, et surtout surcharges liées à des exagérations des courbures vertébrales), dans le

Page ci-contre : **le problème des jeunes : n'ouvrez pas le parapluie.**

cadre d'exercices mal conduits, peut engendrer une altération des corps vertébraux entraînant, d'une façon secondaire, des modifications des courbures vertébrales, qui pourront être, pour le futur adulte, à l'origine de détériorations discales.

Citons les risques d'arrachements épiphysaires : les épiphyses osseuses, sur lesquelles s'insèrent les tendons musculaires, sont des zones d'ossification secondaire, particulièrement vulnérables chez l'adolescent, et l'excès de tension, de traction musculaire, pourra engendrer des lésions des points d'ancrage osseux des muscles, allant jusqu'à l'arrachement total du fragment osseux. Citons, enfin, l'érosion du revêtement cartilagineux articulaire, entraînant une dégénérescence arthrosique de l'articulation, provoquée par l'exécution répétée, au cours de séries trop longues, du même geste, hautement spécialisé (par exemple le « lancer » de balle du QB). Une surcharge de contraintes mécaniques, de frottements, affectant, selon un travail réalisé sur les mêmes axes et à l'aide des mêmes leviers biomécaniques, toujours la même surface articulaire, réduite, déterminera une usure prématurée du cartilage articulaire, et, par voie de conséquence, un processus dégénératif définitif de l'articulation concernée.

A partir de là, il ne s'agit pas de détourner l'enfant, attiré par le FA, de la pratique de cette activité, mais de lui offrir un cadre adapté à son immaturité : l'initiation et la familiarisation à ce sport, dont la richesse et la complexité offrent un champ d'expériences heureusement étendu, devront se faire dans le cadre de situations de jeu aménagées, d'où seront bannis les chocs et les chutes violents et répétés (la tête et le cou, en particulier, étant préservés de tout impact, même léger) ; on veillera à doser l'intensité et la fréquence des efforts afin d'éviter tout surmenage, et, surtout, on évitera d'établir une spécialisation précoce des jeunes joueurs par postes. A l'aide de formes de jeu et d'exercice « tournant » autour du « touch football », progressivement agrémentées d'« obstructions », sans impacts (blocages adaptés), et de familiarisation avec le port de l'équipement, on s'attachera essentiellement à développer l'agilité et l'adresse, à éveiller le sens tactique.

Il va sans dire que ce travail réclame un encadrement qualifié, dont la formation représente maintenant, en Europe, l'enjeu primordial pour un développement réellement « de masse » du FA.

7
LES RÈGLES

FOOTBALL
UNIVERSITAIRE

Le règlement du FA est complexe et très minutieux. Il est complexe car le FA est un jeu artificiel, inventé, et non un jeu naturel, correspondant plus ou moins aux intuitions de chacun. C'est aussi un jeu qui vise justement à créer des situations tactiques complexes du point de vue sportif, simulations simplifiées d'actions militaires généralement encore plus complexes en réalité.

Il est minutieux car, par opposition aux Européens, les Américains ont une vision précise des choses, et des concepts comme « l'esprit du jeu » n'ont pas de signification pour eux. Le règlement qui est affiné chaque année tente de couvrir en extension toutes les situations possibles.

Le règlement est appliqué sur le terrain par l'arbitre principal (« referee ») qui porte une casquette blanche, et qui est assisté de 3 à 6 aides, qui lui indiquent les fautes commises hors de sa vue, et l'aident à administrer le jeu.

Lorsqu'une faute est commise, l'arbitre qui la voit la « marque » en jetant au sol un foulard jaune lesté, sans interrompre l'action. Après l'arrêt, le foulard sera ramassé et la faute annoncée. Elle est généralement sanctionnée par un recul de l'équipe fautive de 5, 10 ou 15 yards et parfois de pénalités supplémentaires (exclusion d'un joueur, perte du tenu), ou de modalités aggravantes (recul à partir du point de mise en jeu, etc.). L'équipe lésée peut renoncer à l'application de la pénalité si elle y a intérêt, et l'arbitre principal confère avec son capitaine en lui exposant clairement les différentes options quand le choix n'est pas évident.

La procédure est nette, les joueurs très surveillés et les sanctions lourdes, indiscutables et inévitables. Il s'ensuit que les fautes sont rares et encore plus rarement intentionnelles, car les tactiques « malpropres » visant à tirer avantage de fautes intentionnelles sont absurdes dans ce contexte.

En revanche, le fait qu'une majorité d'arbitres n'ait jamais pratiqué réellement le FA conduit à une application bureaucratique du règlement qui hache la partie, énerve les joueurs et abolit la distinction entre erreurs vénielles et fautes dangereuses intentionnelles ou modifiant le cours du jeu.

Dans tout ce qui suit, la référence est la règle officielle de la National Collegiate Athletic Association. Les numéros indiqués correspondent au découpage de ce texte en règle, section, article, alinéa, etc. Les références [Snn] correspondent aux

signes d'arbitrage (*cf.* illustration ci-dessous). La règle a été traduite en français en 1984 par nous-mêmes, et est peut-être encore disponible auprès de la fédération. On essaiera de se procurer un exemplaire américain récent. Les signaux d'arbitrage principaux sont présentés sur le diagramme et référés par SXX dans le texte.

On appelle l'équipe A l'équipe qui possède la balle au départ de l'action, en gros les attaquants, et B l'autre équipe.

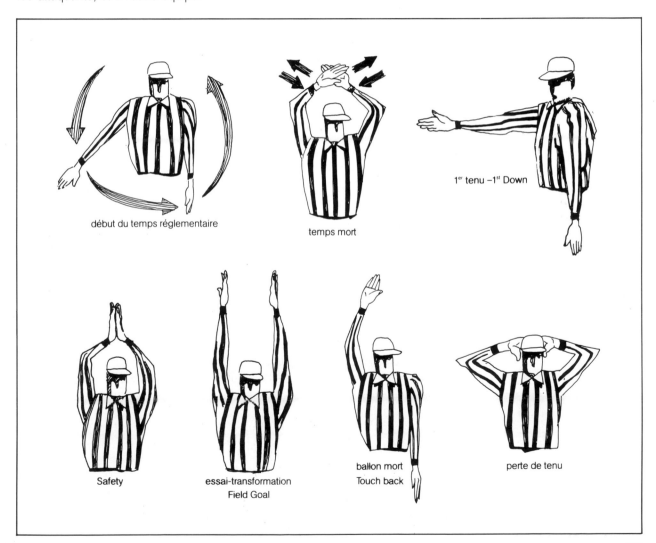

début du temps réglementaire

temps mort

1er tenu –1st Down

Safety

essai-transformation
Field Goal

ballon mort
Touch back

perte de tenu

Holding-saisie obstruction

retard de jeu

joueur expulsé

Clipping-fauchage

brutalité sur le botteur

blocage
sous la ceinture

passe avant non réussie
pénalité déclinée
pas de score

annulation de faute

fin de la période

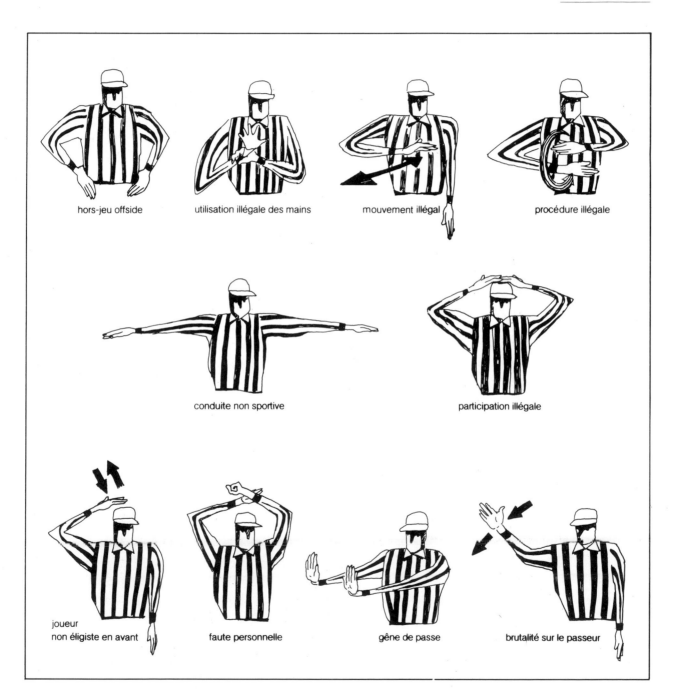

hors-jeu offside

utilisation illégale des mains

mouvement illégal

procédure illégale

conduite non sportive

participation illégale

joueur
non éligiste en avant

faute personnelle

gêne de passe

brutalité sur le passeur

Avant même de penser à légiférer sur les éventuels conflits intervenant dans le jeu, la NCAA qui promulgue année après année le règlement, vise à assurer la sécurité des joueurs, de manière à permettre à tous et en particulier aux jeunes scolarisés de bénéficier des apports physiques et intellectuels du FA sans risque d'accident et de séquelles graves pouvant obérer le reste de leur existence.

L'équipement est explicitement décrit dans la règle comme une protection, et son usage pour des actions offensives est sévèrement prohibé [S38]. Les coups « de bélier » si tentants à donner sont sanctionnés d'un recul de 15 yards et la disqualification si la faute est flagrante et volontaire [S47].

L'équipement de protection obligatoire est décrit dans le chapitre 2, règle 1, section 4, article 4.

■ **Les blocages :** le principe de base du jeu est l'obstruction. Pour éviter une totale confusion, comme dans les « soules » primitives, celle-ci est réglementée. Les blocages s'effectuent sans saisie [S38 + S42], avec percussion des avant-bras, mains refermées de face sur le tronc de l'adversaire (règle 9.3.3 [S38 + S43]). Celui-ci, le défenseur donc, peut utiliser des saisies temporaires pour se dégager (règle 9.3.4.).

■ **Clipping et blocages sous la ceinture :** par exception, les blocages de dos ou « clipping » sont autorisés au tout début de l'action, dans une zone limitée autour du point de « snap », alors que les joueurs n'ont pas encore de vitesse. Un joueur provenant de l'extérieur de cette zone ne peut pas effectuer de « clipping » (règle 9.1.2.d. [S38 + S39]).

La réglementation des blocages sous la ceinture (règle 9.1.2.e. [S38 + S40]), qui sont souvent effectués en rouleau au niveau des genoux, est complexe et évolue beaucoup en ce moment. C'est un geste technique très efficace et donc indispensable, mais il fait courir de grands dangers à celui qui le subit, en particulier s'il est effectué de côté : les genoux ne résistent pas. Principalement, il est interdit de bloquer sous la ceinture lors des coups de pied libres, après les changements de possession et au départ de l'action en « rentrant » dans le paquet.

■ **La protection du passeur :** le passeur ne doit pas être chargé après qu'il a lancé la balle. Avant c'est un coureur comme un autre (règle 9.1.2.o. [S38 + S34]).

■ **La protection des receveurs. L'éligibilité :** la passe avant est couverte par la règle 7, section 3. La passe avant doit être effectuée derrière la ligne de départ. Il ne peut y avoir qu'une passe avant par tenu, et elle ne peut pas être effectuée après un changement de possession.

Les arrières offensifs et les joueurs des extrémités de ligne sont éligibles [S37],

ce sont les seuls attaquants susceptibles de recevoir une passe avant. Leurs numéros de maillot doivent être hors de la plage 50-79. Tous les défenseurs sont éligibles, bien sûr. Mais, en plus, les attaquants inéligibles, en pratique les hommes de ligne, ne doivent pas avoir franchi la zone neutre. C'est là le principal signe qui indique aux défenseurs la passe dès la première seconde : la ligne d'attaque ne pénètre pas. Le capitaine de défense crie « Passe ! ».

Tous les joueurs éligibles ont des droits égaux à la balle. Gêner la réception avec contact physique est pénalisé par un premier tenu automatique au lieu de la faute [S38 + S33]. De plus les défenseurs ne peuvent entraver la course des receveurs que jusqu'à 1 yard au-delà de la zone neutre, ou jusqu'à ce que ceux-ci parviennent à leur hauteur s'ils tentent un blocage (règle 9.3.4.c.). De plus, les receveurs ne peuvent être bloqués sous la ceinture à plus de 3 yards en avant de la zone neutre (règle 9.1.2.e.2 [S38 + S40]).

On aura ainsi une idée de la précision et de la complexité des règles. Elles visent ici à protéger les receveurs, qui courent à pleine vitesse en regardant la balle, de blocages aussi destructeurs pour leur anatomie que pour le jeu.

■■■ **La ligne d'attaque :** il doit y avoir au moins 7 joueurs sur la ligne d'attaque (règle 7.1.3.a.1 [S19]), les autres se trouvant au moins à 1 yard derrière, sauf le QB. Tout le monde doit être totalement immobile pendant la seconde qui précède le « snap », à l'exception d'un seul joueur qui peut se déplacer, mais pas en direction de la ligne [S20]. Cette règle vise à empêcher les charges massives avec élan dans la défense, trop dangereuses. Seuls les trois arrières peuvent se lancer. C'est alors un « power play ».

Tous les joueurs d'attaque doivent avoir approché à moins de 15 yards de la balle, de manière à être bien séparés des remplaçants sur le bord.

■■■ **Règlement des coups de pied et des réceptions :** les coups de pied amènent nécessairement des situations où la balle roule et rebondit au sol. Les tentatives pour la récupérer et empêcher de la récupérer sont propices aux accidents et ont donc été réglementées.

Dans tous les cas, les blocages sous la ceinture sont interdits.

Pour un coup de pied libre, ou engagement, il doit y avoir 5 défenseurs au moins sur la ligne de retrait soit à 10 yards de la balle. Les attaquants doivent partir derrière la balle (règle 6.1.2). Les défenseurs doivent attraper et avancer la balle, sinon les attaquants la récupèrent, à condition qu'elle ait franchi les 10 yards de la ligne de retrait. C'est la tactique du « own side kick », coup latéral court, destiné à être récupéré immédiatement par ses partenaires, et utilisé en cas de retard important à la marque.

Si la balle vient à sortir dans l'en-but, la remise en jeu s'effectue aux 20 yards,

si elle sort en touche sans avoir été touchée, c'est une faute à 5 yards [S19]. Pour un coup de pied en mêlée, le botteur et le joueur qui lui tient la balle sont protégés (règle 9.1.3 [S38 + S30]).

Si le coup de pied est bloqué en deçà de la zone neutre, tout joueur peut récupérer et avancer la balle.

Sinon seuls les joueurs de l'équipe B peuvent récupérer et avancer mais ce faisant, ils rendent la balle vivante pour tous (6.3.3). Donc sur un « punt », tant que B n'a pas touché la balle, A ne peut la récupérer. Quand elle s'arrête ou qu'elle sort, elle appartient à B pour un 1er tenu à cet endroit (5.3.2). Si un joueur de A touche la balle avant B, il la rend morte à l'avantage de B pour un 1er tenu à cet endroit.

On voit ainsi souvent les joueurs de B s'éloigner de la balle, entourée par les joueurs de A, qui l'arrêtent si elle semble vouloir rebondir vers leur camp. Les joueurs de B ne prennent la balle que si les plaqueurs de A sont encore loin. Ils agissent alors comme pour un coup de pied libre, à leurs risques et périls.

Si la balle sort dans l'en-but sans avoir été touchée par B, elle est à B pour un 1er tenu à 20 yards pour un « punt » (6.3.9) et au point de départ mais pas plus près que 20 yards pour un coup de pied au but (8.4.2).

Les receveurs de B, pour les 2 types de coups de pied, doivent bénéficier d'un cercle libre de 2 yards de rayon. Ils peuvent lever le bras pour demander un arrêt de volée (« fair catch » 6.5). Ils ne doivent pas alors être bloqués ni gênés mais ne peuvent plus avancer la balle. Ce geste très payant, rapportant 5 à 20 yards, est rarement utilisé. Nous pensons que l'imitation servile des pros en est la cause principale. Chez les pros, la puissance et la précision des coups de pied est telle que la balle parvient généralement près de la ligne d'en-but de l'équipe B. Dans ce cas, il est possible et même indispensable d'essayer de la ramener vers le centre. Le risque est aussi moins grand, car un coureur pro lâche rarement sa balle sur un plaquage.

▬▬ Fautes personnelles : le FA est pour beaucoup le symbole même de la virilité, et cela tient sans doute au fait que les protections permettent des contacts à pleine vitesse entre les joueurs, des chocs extrêmement spectaculaires. Il faut bien avouer aussi que les protections ne peuvent pas tout protéger, et que sous peine de ressembler à Bibendum, il faut subir la rudesse des contacts lors des blocages et des plaquages. Mais, comme on l'aura vu au cours de ce livre et plus particulièrement dans ce chapitre, il ne s'agit pas d'une bagarre, et les occasions de faire dégénérer le jeu sont beaucoup plus rares que dans les autres sports collectifs, même dans les équipes de second rang où les capacités athlétiques et tactiques manquant, joueurs, voire entraîneurs, cherchent à les remplacer par la méchanceté (« on va les tuer »), et même des tactiques visant délibérément à

infliger des blessures aux meilleurs joueurs adverses. L'éthique sportive restera toujours une affaire de conscience, et non de règlement, malgré la pénétration croissante et inquiétante de l'argent à tous les niveaux.

Dans ces conditions la règle (9.1.2) sanctionne durement toute brutalité inutile [S38] et toute conduite antisportive [S27].

Le plaquage, bien sûr, ne doit être pratiqué que sur le porteur du ballon. Les autres contacts entre joueurs sont limités aux blocages, à la défense contre les blocages et aux contacts nécessaires à dégager le chemin d'un joueur vers la balle et son porteur éventuel.

De plus il existe un éventail complet de fautes sans contact (9.2) qui peuvent être commises par les joueurs, les remplaçants, les coaches, et même le public, s'il cherche à gêner une équipe. L'arbitre principal peut aller jusqu'à accorder des points à l'équipe lésée (9.2.3).

Ces pénalités sont en général de 15 yards [S38], elles entraînent l'exclusion définitive du joueur si la faute est sciemment commise et/ou répétée, même si la pénalité est déclinée [S47], sans préjudice des sanctions fédérales (en France suspension pour 2 matches). Un fauteur de troubles habituel entraîne donc des pertes de terrain telles au détriment de son équipe, que ses partenaires le mettent rapidement à la raison. Reste la possibilité de commettre des irrégularités sous le manteau, et de provoquer ainsi les fautes des adversaires excédés. Cependant, un joueur peut signaler ces faits aux arbitres, via son capitaine.

PRIORITÉ N° 2 : L'ÉQUILIBRE ► DU JEU ET L'INTÉRÊT STRATÉGIQUE

Les règles visent aussi à fournir un jeu clair et ouvert, agréable à jouer et à regarder, possédant un rythme soutenu, fertile en rebondissements, et utilisant toutes les possibilités de jeu, courses, passes, coups de pied.

■■ **Le décompte du temps. Les temps morts :** la partie dure officiellement quatre fois 15 mn de jeu réel, souvent réduits à 12 mn. Un arrêt de 1 mn pour changement de terrain, sans modification de la possession, du numéro du tenu et de la distance, sépare les quart-temps 1 et 2 d'une part et 3 et 4 d'autre part. Le jeu continue donc.

L'arrêt de mi-temps est de 20 mn (3.2.1). Chaque mi-temps commence par un coup de pied d'engagement, tiré au sort avant le début de la partie. Le jeu est donc réellement interrompu en fin de mi-temps. L'utilisation du temps est un des facteurs tactiques essentiels. Il est particulièrement évident en fin de partie et en fin de mi-temps.

Arbitre : difficile et parfois... dangereux.

LES RÈGLES

Le système de prolongations a été expliqué au chapitre 2 : Cadre spatial et temporel.

L'arbitre principal arrête [S3] et redémarre la pendule [S2], qui peut être soit son propre chronographe, soit une horloge de terrain. Dans tous les cas, l'arbitre signale la proximité de la fin de chaque mi-temps avec 2 mn d'avance environ.

Tout ce qui nécessite une interruption importante arrête la pendule : sortie en touche, passe avant ratée, faute, changement de possession, 1er tenu, point marqué, temps morts (3.2.5 et 6). Les transformations sont hors temps, la pendule ne redémarre que lorsque la balle est touchée par B lors de l'engagement qui suit.

Les temps morts (3.3.) peuvent être attribués aux arbitres ou aux équipes. Chaque équipe dispose de 3 temps morts par mi-temps. Ils sont utiles pour arrêter la pendule, qui ne repartira alors qu'avec la balle, et pour récupérer des situations partant à la dérive. Ils durent 1 mn 30. L'arbitre peut attribuer d'autorité un temps mort à une équipe, en cas de contestation injustifiée ou de non-remplacement d'un blessé ou encore d'équipement défectueux d'un joueur.

Les autres temps morts sont attribués à l'arbitrage : points marqués, blessures, pénalités, sortie de balle, passe avant ratée...

Globalement la partie dure environ 2 h 30.

Quand la balle est prête à jouer [S1], l'équipe A dispose de 25 s pour commencer. Elle utilise ce temps si elle le désire pour remplacer des joueurs, tenir un conseil... Si elle a besoin d'économiser le temps, elle essaiera de ne pas les utiliser, et inversement pour en gagner. La pénalité pour excéder les 25 s est de 5 yards [S21] mais en cas de dépassement volontaire pour gagner du temps, l'arbitre peut arrêter la pendule.

■■■ **Les joueurs, les remplacements, les coaches, les « huddles » :** il y a 11 joueurs simultanément sur le terrain. Les autres doivent rester dans la zone d'équipe.

Entre chaque tenu ou à chaque interruption, un nombre illimité de remplacements (3.5) peut être effectué, mais tout joueur entrant doit faire au moins un tenu et tout sortant doit rester dehors pour un tenu, et tous les joueurs doivent s'être approchés à moins de 15 yards de la balle avant de jouer.

Les coaches se tiennent dans la zone d'équipe et peuvent communiquer avec les joueurs à la voix et par signe uniquement (1.4.8). Ils ne peuvent quitter cette zone (9.2.1.b.1).

Les joueurs peuvent se concerter sur le terrain à condition de respecter les délais, et ils le font généralement. Les remplaçants entrants apportent dans le « huddle » les remarques ou instructions du coach.

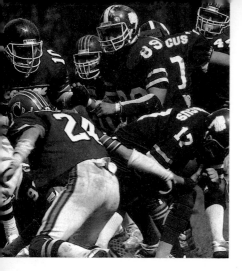

« Touch down ! »

■■ Le décompte des points : les valeurs de la marque sont les suivantes :
— Essai 6 [S5]
— Coup de pied au but 3 [S5]
— Safety (aux adversaires) 2 [S6]
— Transformation :
• par essai 2 [S5]
• par coup de pied au but 1 [S5]

En cas de forfait le score est de 1-0. Si l'arbitre déclare le forfait en cours de partie et que l'équipe lésée a l'avantage de la marque, le score est maintenu.

L'essai est marqué en recevant une passe réussie dans l'en-but, ou en y portant la balle. Un essai ne peut être le résultat d'une pénalité (10.2.3 voir cependant « Fautes personnelles » 9.2.3). Le jeu reprend par un coup de pied d'engagement aux 40 yards.

Le coup de pied au but est valable s'il passe entre les poteaux à la suite d'un coup de pied en mêlée. Le jeu reprend par un coup de pied d'engagement.

Il y a « safety » lorsque l'équipe qui avance la balle est bloquée dans son en-but ou si elle commet une faute dont le point d'application est dans son en-but. Une équipe acculée dans son en-but préférera généralement dégager au pied, et les safeties sont rares. La remise en jeu se fait par l'équipe qui a concédé les points par un coup de pied libre à ses 20 yards. Il ne faut pas confondre « safety » et touché (« touchback »). Il y a « touchback » lorsque l'équipe acculée dans son en-but n'est pas responsable de la présence de la balle, et cette équipe recommencera le jeu par un premier tenu sur ses 20 yards [S7].

Les transformations s'effectuent par une mêlée unique depuis la ligne des 3 yards. Un essai par course ou passe vaut 2 points et un coup de pied au but, beaucoup plus fréquent, 1 point. 1 point supplémentaire de transformation peut cependant faire basculer une partie très serrée.

■■ Le terrain doit en principe être conforme au schéma joint, mais, en Europe, la longueur des terrains existant, prévue pour le rugby ou le football classique, est généralement insuffisante. On compense en rognant un peu les en-buts (8 m minimum), et en mettant la ligne centrale à 45 yards. Le point d'engagement est logiquement reporté sur la ligne des 30 yards. Une grande attention doit être prêtée à la largeur du terrain. De nombreux traceurs non habitués croient à une erreur en visualisant l'étroitesse du champ, 2 fois plus long que large. Le jeu n'a de sens que dans le cadre d'un terrain calibré avec exactitude.

En principe les en-buts doivent être hachurés, et les lignes de but et de côté larges de 10 cm (4 inches), pour assurer une visibilité sans faille, en particulier pour les

receveurs. Des poteaux souples aux quatre coins du terrain sont également utiles. A défaut, on utilise des cônes de chantier.

Une zone d'exclusion est tracée tout autour du terrain à 3, 50 m de la touche, que les arbitres de touche doivent faire respecter ; au FA on joue beaucoup aux limites.

Un indicateur de tenus, qui marque le point d'engagement, et une chaîne qui délimite la ligne à franchir dans la série de tenus en cours, ainsi que le personnel pour les manœuvrer, sont absolument indispensables. Jouer à un jeu de gagne-terrain sans mesurer le terrain gagné est absurde.

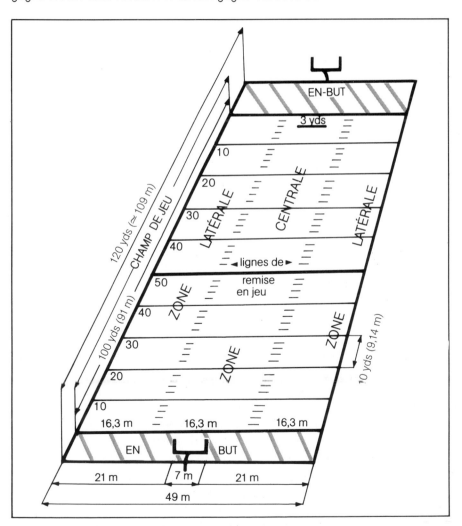

■ **Signes d'arbitrage [Snn] :** on trouvera sur le dessin les principaux signes d'arbitrage. Ceux-ci sont répétés à la notification de la faute et à l'application de la pénalité. Dans tous les cas l'arbitre désigne l'équipe fautive. Un micro HF peut être utilisé par l'arbitre principal exclusivement, pour communiquer les décisions en clair.

Une équipe peut renoncer à bénéficier d'une faute [S10]. Des fautes de balle vivante de chaque côté s'annulent. Les fautes de balle morte sont appliquées dans l'ordre de survenue.

LES SPÉCIFICITÉS
DU FA PROFESSIONNEL
AUX U.S.A. :
LE SPORT-SPECTACLE

Le football professionnel autorise quelques différences très minimes avec les règles universitaires que nous venons d'explorer. Elles sont destinées à rendre le jeu plus spectaculaire, moyennant quelques risques supplémentaires encourus par les joueurs. A cet égard, il faut noter que la fédération universitaire contrôle effectivement que les joueurs ont la possibilité de mener leurs études, et les cas de brillante réussite ne sont pas rares, même si le football n'est pas considéré comme un sport d'intellectuels.

Une balle lâchée par un joueur peut être récupérée par un autre et avancée par lui. Cette possibilité qui conduit une phase de récupération risquée pour les joueurs qui la tentent, puis à un renversement du jeu, comme lors d'une interception, est spectaculaire mais a tendance à « casser du bois ». Elle est assez rare, car les réflexes des attaquants comme des défenseurs sont également aiguisés, et celui qui récupère la balle est immédiatement plaqué.

Pour qu'un joueur soit arrêté, il doit être contrôlé au sol (plus de 3 points de contact), faute de quoi, il peut se relever et repartir.

Les deux types de transformation, par essai et par coup de pied, valent 1 seul point, et l'on ne fait que des coups de pied, qui sont très rarement bloqués.

Les prolongations se font par le système « sudden death » qui attribue la victoire à l'équipe qui marque la première.

Enfin l'arbitrage est plus libéral et ne sanctionne que les fautes flagrantes susceptibles de modifier le cours du jeu. Il est à remarquer combien les fautes personnelles non tactiques sont absentes des matches pro, si les fautes tout court sont rares. Cependant il faut garder en mémoire les résultats accablant des enquêtes de santé sur les joueurs et anciens joueurs professionnels. Au-delà des célèbres « affaires » de stimulants et de stupéfiants, le surmenage et la traumatologie entraînent des invalidités et même des réductions d'espérance de vie de 15 ans sur certains postes.

Page ci-contre : **un Raiders de Los Angeles vole au-dessus d'un nid de Chargers de San Diego.**

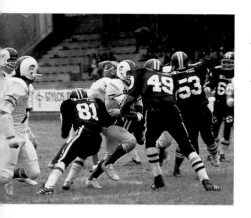

LES RÈGLES
EUROPÉENNES

La règle internationale adoptée par l'EFL est la règle universitaire, à peine amendée. La tendance déjà signalée à imiter servilement les professionnels pour le meilleur et souvent le pire, l'insouciance et la mésinformation des dirigeants et souvent des joueurs eux-mêmes devant les problèmes de sécurité et de santé, l'indifférence à courte vue des empiriques modernes vis-à-vis des questions d'éthique sportive, ont fait de cette simple décision de bon sens un enjeu, dans les années passées. Les règles professionnelles, à notre avis, n'ont de sens que pour des joueurs ayant assimilé et pratiqué des années le système universitaire.

ORGANISATION DU FA

Le Canada et les États-Unis sont les pays qui ont inventé le jeu. La sphère d'influence « culturelle » nord-américaine s'étend au Mexique pour des raisons économiques et politiques et, malgré le conflit avec la tradition hispanique du ballon rond, on y joue au FA et au base-ball. En Amérique centrale et méridionale, les valeurs « yankee » pénètrent difficilement.

Le Japon est également un cas de colonie culturelle, ce qui ne doit pas laisser de provoquer des conflits avec les nombreux tenants de la tradition qui n'ont pas encore oublié les souliers de McArthur sur le bureau du « dieu vivant » Hiro-Hito. Le base-ball et le golf sont très courus. Cependant, depuis quelques années, le Japon regarde aussi vers l'Europe.

L'Europe présente un cas différent : elle avait ses traditions, dont les sports nord-américains sont souvent des réinterprétations : FA contre rugby, base-ball contre cricket, bourbon contre scotch. Mais le FA fournit en fait le seul sport collectif de contact joué de la même manière dans tous les pays d'Europe. Un bel avantage pour l'après 92. Il se développe indépendamment du base-ball et de l'américanophilie avec ses hauts et ses bas reflétant plus ou moins les cours de change du dollar.

Les Castors de l'E.T.P. (Paris) contre les Ramsblocks de Vienne (Autriche).

HORS EUROPE

◀ AUX U.S.A.

███ **Le football scolaire et universitaire :** à l'opposé du préjugé courant, c'est là que se situe le cœur du FA, avec plus de 2 millions de pratiquants, entre 12 et 25 ans. Le FA est introduit en initiation dans les cours d'EPS et il est considéré comme complémentaire et non opposé aux autres sports, comme l'athlétisme, etc. Il a du reste une saison bien déterminée qui est l'automne.

Les meilleurs éléments, sélectionnés sévèrement sur leur pugnacité, leur endurance et leurs capacités athlétiques, constituent l'équipe qui est un véritable porte-drapeau de l'école. Les places de titulaires sont durement gagnées à l'entraînement. La tonalité générale est assez militaire.

Avec le passage à l'université, les choses prennent une couleur différente. Les universités, très souvent privées et toujours payantes, sélectionnent des joueurs dans tous les pays, offrant d'alléchantes bourses d'études aux bons éléments. Toutefois suivant la déontologie universitaire, la pratique du FA doit être conjuguée avec les études, et les règles de l'amateurisme respectées. Les joueurs sont plus spécialisés, le mirage du professionnalisme prend corps pour eux. Certains délaissent leurs études, se contentant de diplômes formels, mais les cas de bonnes réussites universitaires ne sont pas rares. Les présidents Hoover (Stanford), Eisenhover (Army), Ford (Michigan), Nixon (Whittier) et même Reagan (Eureka) *(sic)*, ont joué dans leur université, le député, candidat républicain à la présidence en 1988, Jack Kemp, est un ancien QB professionnel célèbre (San Diego Chargers et Buffalo Bills), et Ted Kennedy fut un bon receveur pour Harvard. Cela dit, le fait de jouer trop longtemps au FA, particulièrement en professionnel, n'est pas considéré dans la bonne société comme dénotant nécessairement une grande intelligence, et les très grandes universités (Harvard et toute l'« Ivy League », Stanford, MIT) se contentent parfaitement de résultats médiocres. Les universités militaires toutefois (Yale, West Point) investissent plus dans leur équipe.

Dans tous les cas, cependant, les matches de l'équipe donnent lieu à de grandes fêtes communautaires. Pour les universités moins prestigieuses intellectuellement (Nebraska, Oklahoma, Floride...), les résultats sportifs facilitent les levées de subventions privées, et le FA est alors un véritable « business », avec des joueurs très sélectionnés et des entraîneurs très bien payés, dotés d'impressionnantes équipes d'assistants, d'équipements et de moyens matériels illimités. C'est le vivier dans lequel les équipes professionnelles puisent chaque année la chair fraîche qui renouvelle la cohorte des 2 000 professionnels.

Une structure unique gère l'ensemble des sports universitaires, très puissante et, comme toujours aux U.S.A., très organisée : la National Collegiate Athletic Association. Elle fixe les règles, les publie et les révise chaque année, pour tous les sports, avec une minutie tout américaine, forme les arbitres et organise les compétitions. Elle repose essentiellement sur le bénévolat.

Les écoles et les universités sont groupées en poules, par région et par niveau. Chaque année, un champion national est désigné sur la base des résultats de la saison et, au moment de Noël, de nombreuses et prestigieuses coupes aux règlements divers sont jouées. Certaines de ces coupes sont très anciennes : le Rose Bowl (1902) se joue à Pasadena Calif., l'Orange Bowl se joue à Miami..., et attirent autant de public que les grands matches professionnels. Par leur aspect imprévu, l'apparition de nouveaux joueurs inconnus, elles sont les plus prisées des véritables amateurs.

Chaque année également un jury d'entraîneurs désigne le vainqueur du Heisman Trophy, considéré comme le meilleur joueur de l'année et promis à une belle carrière professionnelle.

Enfin une équipe All stars est désignée pour une rencontre avec les champions professionnels.

■ **Le football professionnel :** le professionnalisme remonte à 1892 avec les 500 dollars attribués à William Heffelfinger par la Allegheny Athletic Association. La première fédération professionnelle a été fondée en 1920 (American Professional Football Association, président Jim Thorpe), regroupant les équipes de 5 États. Elle devait devenir la National Football League en 1922 (président Joe Carr) et durer jusqu'à nos jours, malgré les nombreuses divisions et dissidences.

Le premier champion fut l'équipe des Chicago Staleys, rebaptisée Chicago Bears l'année suivante. Les Green Bay Packers se classaient en quatrième position. C'est à ce moment que les « clubs athlétiques » de semi-professionnels de la région de l'Ohio, souvent ouvriers d'usines rémunérés en primes de matches et excuses au travail pendant la saison de FA, sont devenus de véritables entreprises de spectacle sportif et se sont étendues à tout le pays. En 1925 grâce à l'immense popularité de Red Grange « The Galloping Ghost » et aux talents promotionnels de C.C. « Cash and Carry » Pyle une tournée retentissante eut lieu, amenant jusqu'à 38 000 spectateurs pour un match.

Le système actuel est dominé par la NFL qui est une association de 28 propriétaires de « franchise », arbitrée par le « Comissioner » Peter Rozelle, chargé d'arrondir les angles entre les egos souvent violents des milliardaires propriétaires. La ligue gère et partage les droits de télévision et de matériel promotionnel (à travers NFL Properties Inc.). Sur les années 1981-1985 les droits de télévision avec les trois réseaux ABC, CBS et NBC se sont élevés à 2 milliards de dollars. Le sport est

considéré comme le symbole même de la puissance et de la combativité de l'Amérique pour toutes les classes hormis les intellectuels et les classes supérieures. L'exploitation de cette popularité est systématique, elle génère des profits monumentaux qui font trembler d'envie les petits promoteurs qui ont vu les débuts modestes du FA en Europe.

Bien entendu le partage d'une telle manne ne va pas sans conflits. Les grèves de joueurs sont monnaie courante, retournant l'Amérique bien pensante qui voit ses idoles rongées par la gangrène du communisme. La répartition des gains entre joueurs est aussi inégale que dans le « soccer » en France. Les vedettes, en particulier les QB, touchent des millions de dollars, alors que les autres se contentent d'un salaire moyen pour une carrière souvent obscure d'une dizaine d'années au plus, entraînant souvent de graves handicaps ultérieurs. La carrière de footballeur pro ne se comprend pas sans la passion du jeu et du stade retentissant des voix de ses 80 000 spectateurs.

Les tentatives de créations de ligues parallèles, pour contourner le « numerus clausus » de la NFL et tenter de faire encore grossir le marché, sont sporadiques. La dernière en date, l'USFL qui espérait mettre sur pied une saison de printemps, s'est soldée par un dur échec sportif et financier.

Bien entendu NFL promulgue les règles qui sont légèrement différentes des règles de base universitaires, et autorisent un jeu plus spectaculaire, avec cependant plus de risques.

La saison commence début septembre pour les matches de présaison qui permettent de tester les nouvelles recrues et accessoirement les nouvelles tactiques. Ils succèdent aux camps d'entraînement qui occupent au minimum tout le mois d'août.

Les équipes sont divisées en 2 « conférences » National NFC et American AFC, chacune subdivisée en 3 divisions est, centre, ouest, de 5 équipes environ. La saison comporte 15 rencontres. La meilleure équipe de chaque division est sélectionnée pour les finales ou « play-off ». Les deux équipes qui ont les meilleurs scores après les premiers de division se rencontrent en un barrage « wild card game » pour fournir un quatrième demi-finaliste. En deux tours, on obtient le champion de la conférence, et les champions de conférence se rencontrent lors de la finale nationale, « mondiale » disent les Américains, le fameux « Super Bowl » pour lequel tout s'arrête aux U.S.A., et qui a lieu la troisième semaine de janvier. La saison est alors terminée sauf pour le « Pro Bowl » qui oppose de nos jours une sélection des meilleurs joueurs de chaque conférence, et la « All Pros » contre la sélection des universités.

Le pendant du « Heisman Trophy » est le « Pro Football Hall of Fame », sorte de

Panthéon du FA pro, situé à Canton Ohio, en hommage à Jim Thorpe, un des plus grands athlètes de tous les temps, et ses Canton Bulldogs.

Enfin, au printemps, les délicates négociations d'intégration des joueurs universitaires en fin d'études ont lieu. La formule est originale. Les équipes choisissent les joueurs par ordre de performance croissante la saison précédente : la dernière équipe choisit la première, ce qui tend à ramener l'équilibre entre équipes fortes et faibles. Mais tous les marchandages sont possibles, et la bourse aux joueurs va bon train.

■ **Le football civil amateur :** dans une carrière sportive normale, le joueur qui n'est pas sélectionné parmi les universitaires ou l'universitaire qui ne passe pas professionnel, abandonnent simplement le FA pour se consacrer à d'autres sports. Il faut se souvenir que le FA est un sport saisonnier, complémentaire et non concurrent des autres, même s'il déclenche chez beaucoup des passions absolues. Pour les autres, plusieurs solutions sont possibles.

Les débouchés se trouvent dans les équipes d'entraîneurs, pour ceux qui veulent faire du FA leur métier. Avec le soin et la passion méticuleuse que les Américains apportent à ce qu'ils font, avec les effectifs élevés des équipes, les entraîneurs sont souvent professionnels, même dans des écoles secondaires modestes.

Pour ceux qui ont une bonne profession, mais que le virus travaille, les longues cohortes des arbitres, nécessairement tous bénévoles, pour des raisons d'éthique, les accueillent. Dans le cas des grands matches pro, ce bénévolat est poussé jusqu'au « milliardariat », puisque les arbitres sont sélectionnés sur leurs références techniques, mais aussi sur leur aisance financière, qui les met à l'abri de toute idée, de tout soupçon de corruption.

Enfin pour ceux qui ne veulent pas capituler, un grand nombre d'équipes « corpo », ou affinitaires, appelées aux États-Unis « semi-professional », se sont développées, surtout dans les régions traditionnelles d'implantation du FA ; le Nord-Est industriel, le Sud et la côte ouest. Ces équipes organisent des championnats locaux, régionaux et inter-régionaux.

Cependant le coût de l'équipement, le caractère exigeant du jeu, pour chaque individu, et collectivement pour la mise sur pied d'une équipe de 40 joueurs, ainsi que les réticences de ceux qui ont côtoyé le « haut niveau » universitaire, à redescendre de leurs rêves, font que les formes adoucies du FA, ne comportant ni blocages violents ni placages, comme le « touch football » ou le « flag football », qui se jouent avec des équipes restreintes (6 joueurs), sont beaucoup plus pratiquées. Elles présentent toutes les nuances d'intensité, depuis le pur sport loisir, le dimanche, dans le parc, jusqu'au championnat national où s'affrontent des équipes de haut niveau qui exploitent à fond toutes les spécialités de la règle. C'est

Page ci-contre : **un Spartacus rêveur devant le College Football américain.**

ici l'un des seuls endroits où l'auteur a le plaisir de pouvoir évoquer le « deuxième sexe » : il existe des équipes et des championnats féminins de « flag football ». Le FA, une affaire d'hommes ?

AU CANADA ▶

On a vu au chapitre 5 que les règles canadiennes différentes (3 tenus, 12 joueurs, terrain élargi) rendent les rencontres entre équipes nord-américaines improbables. Les transferts de joueurs sont en revanche monnaie courante, attirant de bons joueurs canadiens vers les « scolarships » des universités américaines, et des vedettes américaines pro de second plan émigrent vers les professionnels canadiens.

Pour le reste l'organisation du sport est identique, professionnels, universitaires et scolaires, amateurs. Le développement du « touch football » amateur est pourtant exceptionnel au Canada. Il y a 3 divisions de championnat, et la meilleure d'entre elles voit s'affronter de véritables virtuoses, dont l'habileté et les capacités athlétiques n'ont rien à envier à celles des champions du « tackle football ».

Cependant, au total, la popularité du FA est sans comparaison avec les U.S.A. Les équipes professionnelles sont moins nombreuses et le niveau de jeu n'atteint pas à l'excellence durement et chèrement gagnée des grandes universités et des pros américains. Les conditions climatiques sont encore plus défavorables que dans le Nord-Est américain, et de plus le hockey est roi en son royaume.

MEXIQUE, JAPON ▶
ET AUTRES PAYS HORS
D'EUROPE

Le football public, professionnel et universitaire de haut niveau, n'atteint nulle part le niveau de qualité et le nombre de pratiquants et de « fans » des U.S.A. et accessoirement du Canada.

Cependant le football s'est implanté peu ou prou là où les U.S.A. exercent une influence prépondérante, grâce à la passion de quelques individus, mais surtout, dans la majorité des cas, grâce aux forces armées, où le football, sport de combat collectif, est assidûment pratiqué, et qui organisent en permanence des championnats inter-régiments, des défis, etc. Ainsi les équipements, les terrains, les arbitres et les entraîneurs compétents existent. De plus certains militaires ne dédaignent pas d'arrondir leur solde en se livrant à leur passion pour le compte d'équipes civiles locales.

Le Japon et le Mexique font exception car le développement du FA est allé depuis longtemps beaucoup plus loin. Sans doute dans une tentative similaire de s'affranchir d'un passé historique féodal pesant, le courant pro-américain est

Page ci-contre : **premiers championnats d'Europe en 1983 à Castelgiorgio (Italie) : France-Autriche 72-00.**

222

suffisamment puissant dans ces deux pays pour permettre l'existence de ligues professionnelles d'un très bon niveau, en plus des amateurs.

EN EUROPE

■■■ **Historique du FA en Europe :** notre continent n'échappe pas, bien entendu, aux théorèmes énoncés ci-dessus, mais c'est notre terre, et nos instruments d'observation sont plus fins.

Le FA a bien commencé, en Allemagne et par extension en Autriche, dans le giron des troupes d'occupation et des troupes de l'OTAN. En Italie, autre pionnier européen, les troupes américaines sont plus discrètes, mais nombreux sont ceux qui pour une raison ou une autre sont rentrés au pays après un séjour prolongé chez l'oncle Sam. Et le destin du FA est devenu autonome et assuré, au début des années 80, lorsque les civils se sont emparés de la chose, en Italie donc et en R.F.A., puis en France, en Suisse, en Finlande, en Grande-Bretagne où le cricket en prend pour ses « wickets », et enfin en Hollande. Mais cette « success story » que l'on pourrait écrire, à l'instar de tous ceux qui aiment voler au secours de la victoire, ne doit pas cacher des difficultés immenses, qui justifient cette floraison tardive d'un sport plus que centenaire. Les raisons en sont diverses selon les pays. En commun toutefois et en première place se trouve la difficulté d'obtenir des équipements à un prix raisonnable, à cause des fluctuations des changes, des difficultés administratives et financières pour établir des courants d'importation. La fabrication locale en petite série n'est envisageable que pour les maillots et pantalons, et encore. De plus la concurrence des autres sports, et en particulier du ballon ovale en France et en Grande-Bretagne, a joué.

Enfin et surtout, le poids de l'infrastructure à créer de toutes pièces (clubs, ligues, fédérations, championnats, arbitres...) a fait avorter pendant des années les efforts méritoires des passionnés du FA. On peut penser que le cadre international européen qui s'est instauré dès 1981 a grandement favorisé, voire conditionné l'implantation définitive du FA en France mais aussi ailleurs, permettant de compter immédiatement des équipes par centaines et non par unités et par dizaines, désenclavant les équipes isolées par des rencontres internationales, fixant un niveau de jeu élevé immédiatement et donc imposant aux nouveaux pays des progrès immédiats et pour finir conférant aux modestes efforts nationaux une amplification, une vraisemblance susceptibles de leur attirer le soutien des pouvoirs publics, et des mécènes ou des annonceurs privés.

La Fédération européenne : après les premiers contacts en 1981 entre Italie, R.F.A., Autriche et France, dus essentiellement aux efforts de M. Giovanni Colombo de Milan, et une première ébauche de fédération, la structure actuelle European Football League vit le jour à Milan en mars 1985, présidée par M. Paolo Volker (R.F.A.) et rassemblant la France, l'Italie, la R.F.A. et l'Autriche, la Grande-Bretagne, la Finlande, la Suisse, les Pays-Bas, et bientôt la Belgique, la Suède et la Norvège.

Compétitions et palmarès : la fédération européenne organise des championnats tous les 2 ans. Les jeux par équipes de nations sont très problématiques. L'intendance est lourde et le compte d'exploitation tendu. Mais surtout la cohésion interne d'une équipe doit être telle, et le jeu est si peu improvisé, que les sélections ont souvent un niveau très inférieur aux équipes constituantes, et que bien peu de pays veulent ou peuvent consentir trois mois de travail collectif au montage d'une équipe nationale. En 1983 à Castelgiorgio (Italie) l'équipe de France finit quatrième en perdant 20-27 contre la R.F.A. alors que l'Italie l'emporte sur la Finlande. En 1985 à Milan, le triomphe des Finlandais sur les Italiens sert de décor à une nouvelle place de quatrième des Français contre les Allemands de l'Ouest 14-0. En 1987, la France a été éliminée en phase préliminaire par la Grande-Bretagne, et les Italiens reprirent leur titre face à la R.F.A., à Helsinki (Finlande).

Une coupe des clubs champions est également en place, en alternance avec les championnats, depuis 1986, ou les Jets de Paris ont représenté la France.

EN FRANCE

Historique : la première équipe a vu le jour en septembre 1980 à Paris. Elle a pris le nom de Spartacus en hommage à un gladiateur selon l'imagerie classique du FA, mais aussi à un combattant de la liberté. L'équipe est née de l'initiative de Laurent Plegelatte, en stage à Vail (Colorado), qui décide d'acheter un lot d'équipements déclassés, de les importer et d'essayer de réunir une équipe d'amis.

Rapidement, une deuxième équipe, les Météores, se forme et un premier match « officiel » a lieu en juin 1981 qui voit la victoire du Spartacus.

A la suite des contacts avec la fédération italienne, le premier match international de clubs a lieu à Ferrare (Italie), entre les Aquile et Spartacus. Cette rencontre donne aux équipes françaises une meilleure conscience du niveau à atteindre et des moyens de la progression. Les années suivantes, des stages aux Canada et aux U.S.A. seront systématiquement organisés.

Page ci-contre : juin 1981, le premier match « historique » entre deux équipes françaises, Spartacus de Paris et Météores de Nogent, survêtements et grilles en plastique (en bas) ; 12 juin 1982 : le premier Casque d'or ; les mêmes mieux équipés (en haut).

Entre-temps, le nombre des équipes est passé à 6, et un comité national pour le développement du FA a été fondé, dont le but est de commencer l'implantation du sport en France en attendant que les effectifs permettent de lancer une fédération solide.

La fédération est fondée en 1983 et le nombre d'équipes croît rapidement : 12 en 1982, puis 22 en 1984, 55 en 1988... Le premier président est Laurent Plegelatte. La France participe aux premiers championnats d'Europe en 1983 à Castelgiorgio (Italie) et frôle une troisième place.

La demande d'agrément ministériel, déposée en 1984, aboutit en mai 1985 seulement, sous la présidence de Michel Gofman, cofondateur de Spartacus, à cause de la création d'une fédération concurrente par une curieuse et éphémère société de sponsoring international.

La réunification obtenue, la fédération compte en 1988 55 équipes. Elle est présidée par Jacques Accambray, ancien champion et recordman de France du lancer du marteau.

■ **Structures fédérales :** la fédération est dirigée par l'assemblée générale, constituée par les délégués des clubs et elle se réunit annuellement. Elle approuve les comptes, le bilan sportif, fixe les grandes orientations et élit le président. Cette assemblée élit un comité directeur d'une trentaine de membres auxquels elle délègue ses pouvoirs. Le comité directeur élit le bureau (secrétaire, trésorier, vice-présidents...) qui administre la fédération. Il pourvoit également les commissions : commission de contrôle, les « sages », commission d'appel, commission technique, commission sportive, commission médicale et commission d'arbitrage.

■ **Compétitions et palmarès :** les équipes, en 1988, sont réparties en deux divisions pour le championnat, qui a lieu tous les ans.

La première division est constituée de quatre poules régionales jusqu'au stade des quarts de finales. Toutes les rencontres de poules ont lieu en match aller et retour. Le trophée de champion de France s'appelle le Casque d'or.

Vainqueurs :

1981/82 Spartacus / Météores 44-0.
1982/83 Spartacus / Anges bleus 34-14.
1983/84 Anges bleus / Spartacus 20-0.
1984/85 Jets / Challengers 6-0.
1985/86 Anges bleus / Spartacus 20-2.
1986/87 Castors / Jets 75-0.
1987/88 Castors / Anges bleus 7-0.
Toutes ces équipes sont parisiennes.

Le championnat de deuxième division a été organisé suivant diverses formules dont parfois un intéressant « Jamboree », tournoi se déroulant sur une ou deux journées et permettant à toutes les équipes de se rencontrer lors de matches raccourcis à deux quart-temps, par exemple. Tout naturellement, le trophée est le Casque d'argent.

1983 Challengers / Hurricanes 12-0.

1985 Météores / Hurricanes 13-6.

1986 Wolfmen (Montpellier) / Rangers 36-18.

Déc. 1986 Argonautes (Aix-en-Provence) / Caïmans 72 (Le Mans) 21-6.

Presque chaque année, une coupe de France est organisée, par élimination directe.

1983/84 Castors / Spartacus 14-0.

1984/85 Challengers / Castors 24-14.

1986/87 Argonautes (Aix-en-Provence) / Anges bleus 14-12.

Enfin un tournoi international inter-clubs a été organisé en mai 83 à Paris sous le nom de « Rose Bowl » et n'a pas été repris les années suivantes :

Spartacus b. Turku Trojans (Finlande) 22-0 pour la première place, et Castors b. Rams de Vienne (Autriche) 36-0 pour la troisième place, marquant ainsi les progrès foudroyants des équipes françaises depuis l'équipée de Ferrare, un an et demi plus tôt.

Les Castors de l'E.T.P. (champions 87 et 88) pendant le Rose Bowl de 1983.

227

LES FOOTBALLS PROCHES

Nous allons décrire très sommairement les deux variantes les plus importantes (en nombre de pratiquants). La première est la version canadienne du jeu. Il faut se souvenir que les Canadiens de l'université Mac Gill sont co-inventeurs du FA, d'ou leur autorité. La seconde variante est l'adaptation « douce » qui nécessite moins de joueurs, de matériel et moins de baffes : le « touch football » et sa variante technique, le « flag football », qui permettent à des milliers de sportifs et de sportives de s'amuser et de pratiquer l'esprit du FA sans consentir nécessairement l'implication physique et mentale et les sacrifices que doivent accepter tous les joueurs des équipes sérieuses de « tackle football ».

FOOTBALL AMÉRICAIN ▶
ET FOOTBALL CANADIEN

Le Canada est fier de son antériorité vis-à-vis des États-Unis, et tous les particularismes sont bons pour exorciser une domination économique écrasante. Il n'est pas facile d'être le voisin des puissants. Le Canada joue donc au football avec ses propres règles et personne n'est censé remarquer l'absurdité de cette incompatibilité voulue, de ce protectionnisme adossé à l'histoire, et qui, à notre avis, gêne autant le développement du sport qu'il en préserve la douteuse originalité. Que nos amis canadiens, qui nous ont plus aidés que quiconque aux U.S.A. à développer le football en France, nous pardonnent cette opinion au couteau.

■ **Décompte des tenus :** il n'y a que trois tenus pour réaliser le contrat de progression, mais, en compensation, le terrain est plus large de 10 yards et facilite les débordements, et il y a 12 joueurs en jeu (un arrière supplémentaire, éligible pour les passes). Les Canadiens pensent que leur formule favorise la variété du jeu, en forçant les équipes à botter plus souvent et à passer plus. L'orientation actuelle des différents comités de règles américains vers un jeu de plus en plus aérien va du reste dans le même sens.

■ **Taille du terrain :** il y a deux plans de terrain possibles, les mesures « impériales », c'est-à-dire verges (yards), pouces (inches), etc., ou bien les mesures métriques.

Le terrain impérial mesure 110 verges × 65, plus les deux en-buts de 25 verges. La ligne à franchir, dans les séries de tenus, est à 10 verges, et les pénalités sont mesurées en verges (5, 10, 15).

Le terrain métrique, que nous supposons républicain par symétrie, accuse 100 × 60 au mètre étalon de Sèvres, plus deux en-buts de 20 m. Choses remarquables la ligne à franchir est à 10 m, soit 10 % de plus pour un même nombre de tenus, et les pénalités sont mesurées en mètres, ce qui est au moins cohérent avec l'aberration précédente.

■■■ **Décompte des points divers :** au barème américain s'ajoute le « botté » ou « rouge », qui est obtenu en bottant la balle dans l'en-but, il rapporte 1 point et est suivi par une remise en jeu à 5 verges.

Enfin les temps morts sont réduits à 2 par mi-temps et une minute à chaque fois. C'est jouable, mais c'est totalement et exclusivement canadien, et cela ne va pas dans le sens de l'allègement des équipes, avec un douzième joueur.

◀■■ LES FOOTBALLS « DOUX » : LE « TOUCH » ET LE « FLAG »

Le FA est certainement le plus collectif des sports : équipes de 60 à 100 personnes et synchronisation absolue de tous les joueurs, qui participent tous de manière essentielle à l'action, qu'ils portent la balle ou non.

C'est là une des grandes qualités qui attachent durablement les pratiquants à leur sport : la satisfaction de contribuer à une grande œuvre collective qui marche un peu comme dans un grand orchestre. Mais en contrepartie ces contraintes sont incompatibles avec une pratique « amateur », c'est-à-dire de loisir, de même que la *Neuvième* de Beethoven ne peut être dignement interprétée par l'orchestre et la chorale de la paroisse (s'ils le font quand même, jetez des œufs). De plus, aux États-Unis, après la fin du lycée (« high-school »), seuls les très bons athlètes ont leur chance et les entraînements collectifs et individuels (footings, musculation...) sont prenants, avec des risques de blessures en cours de saison. Enfin l'équipement coûte assez cher.

Voilà autant de raisons d'inventer une version plus souple du sport, et autant de contraintes à alléger, en évitant si possible de noyer l'esprit du sport. A cet égard, les règles du « touch » et du « flag » qui n'en est qu'une variante, sont une belle réussite. Même s'il est moins spectaculaire, le jeu est très rapide et offre un large éventail de possibilités tactiques.

Mais disons tout de suite que ce « football doux » ne prend vraiment son sens que pour ceux qui ont pratiqué le « vrai » football. Il n'a que de très lointains rapports avec la balle au prisonnier.

Le travail a essentiellement porté sur l'aménagement du terrain et du nombre de joueurs, la suppression du plaquage et l'atténuation des blocages, qui ne peuvent être supprimés sans ôter tout le sens du jeu. Nous nous contenterons de souligner les différences avec les règles de référence, qui sont en général valables pour le « touch » comme pour le « flag », et nous signalerons les spécifités du « flag » qui ne concernent que le plaquage, en pratique.

■■■ **Le terrain, la marque et les joueurs :** le terrain peut faire 100 yards pour les jeux à 7 ou 120 yards de long pour les jeux à 8, 9, 10, 11. Le champ de jeu est divisé en zones transversales de 20 yards. Par rapport au « tackle », la surface disponible est donc approximativement réduite de moitié.

Le nombre de joueurs va de 7 à 11, et les remplacements sont autorisés comme au « tackle ». Les protections « dures », casque, épaulière, protections de hanches, sont interdites.

La progression s'effectue par séries de 4 tenus, mais le contrat consiste à atteindre la zone de 20 yards suivante.

La partie se joue en 4 fois 12 mn. La marque est identique à celle du « tackle ».

■■■ **Adaptation du plaquage :** l'arrêt d'une course se fait avec une ou deux mains en contact avec l'adversaire, entre les épaules et les genoux. Les bras et les mains comptent. Mais l'attaquant n'a pas le droit de raffuter ou de chercher à percuter, alors que le défenseur doit avoir un pied au sol (pas de plongeon) et ne doit en aucune manière molester le coureur (pénalité de 15 yards).

FLAG : les joueurs portent une ceinture avec deux ou trois drapeaux collés au Velcro. Le défenseur attrape le drapeau et le brandit. Ce faisant, il peut toucher son adversaire (ailleurs qu'au visage et à la tête), à condition de ne pas le frapper et de ne pas chercher à entraver sa progression. L'attaquant n'a pas le droit de protéger ses drapeaux.

La balle roulant au sol est toujours morte, avec attribution au dernier à la toucher, sauf sur le coup de pied d'engagement (« free kick »). Toute interception doit donc se faire sur une balle en vol.

■■■ **Adaptation du blocage :** le blocage au-dessous de la ceinture est interdit, et les blocs deux contre un au-delà de la ligne d'engagement aussi. Pendant tout le blocage et même après, l'attaquant doit avoir les deux pieds au sol. Les positions de départ « 3 points » et « 4 points » sont interdites (sauf pour le centre). Enfin le nombre minimal de joueurs de ligne doit être de 3 pour 7 joueurs, 4/8, 5/9..., les autres joueurs doivent être dans le « backfield », c'est-à-dire 1 yard derrière la ligne de départ.

■■■ **Adaptation de la passe avant :** tous les joueurs sont éligibles, y compris les hommes de ligne et même le passeur, si la balle a touché un autre joueur.

■■■ **Adaptation des coups de pied :** si les attaquants le désirent, les coups de pied en mêlée (« punts » et coups de pied au but) peuvent s'effectuer en mode

Page ci-contre : un « huddle » offensif du Spartacus de Paris.

protégé. Le capitaine d'attaque avertit l'arbitre avant que la balle soit déclarée prête. Le coup de pied est alors obligatoire. Les deux équipes doivent laisser 3 joueurs en ligne sur 7 en jeu, 4 pour 8 ou 9, et 5 pour 11. Le botteur ne peut être chargé. Mais on peut aussi jouer normalement, par exemple pour feinter un coup de pied et partir à la main. Le botteur est alors protégé comme au « tackle ».

La variante « flag » facilite l'arbitrage et permet le jeu en compétition. Le niveau en compétition peut être très élevé, en particulier au Canada où il existe de véritables spécialistes. Les qualités mises en jeu ont beaucoup plus le sens du jeu et la rapidité que la puissance. Le jeu est beaucoup plus rapide, en tout cas à niveau de joueurs comparable. L'ossature même du football est conservée, et le niveau d'engagement physique reste honorable.

GLOSSAIRE ANGLO-FRANÇAIS
(A l'exclusion des noms de postes de jeu : *cf.* encart).

AUDIBLE CODE : CODE AUDIBLE : système codé de dénomination des « tactiques » permettant au capitaine de les appeler sur la ligne de scrimmage, juste avant le déclenchement de l'action.

AUTOMATIC : équivalent de « AUDIBLE ».

BACKFIELD : CHAMP ARRIÈRE : ensemble des joueurs, offensifs ou défensifs, qui se positionnent en retrait de la ligne de scrimmage (à l'exception des « linebackers »).

BLITZ : charge surprise, vers le QB ou le porteur du ballon, menée par un ou plusieurs « linebackers » ou/et arrières défensifs.

BLOCKING : BLOCAGE.

BOMB : BOMBE : longue passe avant.

BOOTLEG : CONTREBANDE : jeu renversé du QB qui, après une feinte de transmission, cache la balle derrière sa cuisse pour la « passer en contrebande ».

BUMP-AND-RUN : FRAPPE-ET-COURT : action d'un défenseur consistant à frapper un receveur qui entame son tracé, pour perturber ses repères avant de le « marquer » dans sa course.

CLIPPING : BLOCAGE « DANS LE DOS ».

CONTAINMENT : ENDIGUEMENT : responsabilité d'un défenseur consistant à rabattre (« contenir ») le porteur de balle vers le milieu du terrain, en l'attaquant par l'extérieur.

COUNTER : CONTRE : jeu au sol, au cours duquel la balle est transportée en sens opposé au mouvement général de la formation offensive.

CROSS BLOCK : BLOCAGE EN CROIX (implique deux bloqueurs).

CROSS BODY BOCK : BLOCAGE EN TRAVERS DU CORPS (de l'adversaire).

DEAD BALL : BALLE MORTE (qui n'est plus en jeu).

DELAY OF GAME : RETARD DE REMISE EN JEU.

DIVE : PLONGEON : percée au centre de la ligne.

DOWN : TENTATIVE : module de l'action de jeu.

DOWN LINEMEN : HOMMES DE LIGNE « INTÉRIEURS » (C, « guard », « tackle »).

DRAW PLAY : JEU AU SOL préparé par une feinte de jeu aérien.

DROPBACK : RECUL DU QB préparatoire à la passe.

END ZONE : ZONE D'EN-BUT.

EXTRA POINT (CONVERSION) : TRANSFORMATION.

FAIR CATCH : ARRÊT DE VOLÉE.

FAKE : FEINTE.

FIRST DOWN : PREMIÈRE TENTATIVE : le « contrat » de progression de 10 yards a été rempli, et l'équipe attaquante dispose de 4 tentatives supplémentaires.

FOUL : FAUTE, violation des règles.

FOREARM BLOCK, LIFT, SHIVER : BLOCAGE, LEVÉE, PERCUSSION DE L'AVANT-BRAS.

FORWARD PASS : PASSE AVANT.

FREE KICK : litt. COUP DE PIED LIBRE (sans opposition immédiate, *cf.* règlement).

FUMBLE : PERTE DU CONTRÔLE DE LA BALLE (maladresse).

GANG TACKLING : PLAQUAGE COLLECTIF.

GAP : « TROU », ÉCART entre joueurs de ligne.

GOAL POSTS : POTEAUX DE BUT.

HANDOFF : MAIN-A-MAIN (transmission de balle).

HAND SHIVER : PERCUSSION, POUSSÉE DES MAINS.

HOOK : HAMEÇON (tracé de receveur).

HUDDLE : en québécois et bas-latin : CAUCUS : conciliabule tactique précédant la remise en jeu.

KICK-OFF : COUP DE PIED D'ENGAGEMENT.

LINE OF SCRIMMAGE : LIGNE IMAGINAIRE, parallèle à la ligne de but, passant par la pointe avancée de la balle, et allant d'une touche à l'autre, signifiant la position de l'attaque, avant le déclenchement d'une nouvelle tentative.

OFFSIDE : HORS-JEU.

OWN SIDE KICK : COUP DE PIED DE SON PROPRE CÔTÉ : (« kick-off » court par lequel l'équipe botteuse essaie de gagner la possession de la balle).

PATTERN (or ROUTE) : TRACE DE RECEVEUR.

PITCHOUT : PASSE LATÉRALE ou ARRIÈRE.

PLACE KICK : COUP DE PIED « PLACÉ » AU BUT.

POST : VERS LES POTEAUX (trace de receveur).

PULL OUT : DÉCROCHAGE D'UN « LINEMAN ».

PUNT : COUP DE PIED DE DÉGAGEMENT.

QUARTER : QUART-TEMPS.

REFEREE : ARBITRE EN CHEF.

RETURN MAN (RETURNER) : RETOURNEUR : joueur chargé de recevoir la balle et de contre-attaquer lors d'un botter adverse.

REVERSE : JEU RENVERSÉ (consécutif à une passe croisée).

ROLL OUT : DÉPLACEMENT CURVILIGNE LATÉRAL EXTÉRIEUR DU LANCEUR (QB).

SCREEN PASS : PASSE AVANT-ÉCRAN.

SLANT : OBLIQUE (tracé).

SLOT BACK : ARRIÈRE INSÉRÉ.

SNAP : TRANSMISSION DE BALLE VERS L'ARRIÈRE DU CENTRE (généralement entre ses jambes, et au QB), qui signifie le déclenchement de l'action.

SPEARING : PERCUSSION réalisée par l'intermédiaire du sommet du casque (interdit).

STANCE : POSITION DE DÉPART.

STRONG SIDE : CÔTÉ FORT (surnombre).

SWEEP : COURSE DE DÉBORDEMENT.

TACKLE (TO) : PLAQUER.

TEAM BLOCKING : BLOCAGE COLLECTIF (deux contre un...).

TOUCHDOWN : ESSAI (6 points).

UMPIRE : ARBITRE EN SECOND.

WEAK SIDE : CÔTÉ FAIBLE.

WEDGE : COIN : formation de bloqueurs en « coin » destiné à s'enfoncer dans la défense adverse.

T A B L E

PRÉFACE   11

▬▬ UN PEU D'HISTOIRE   13

ORIGINE, NAISSANCE, PREMIERS PAS   14

▬▬ NATURE GLOBALE DU JEU   21

DÉFINITION, DÉROULEMENT DU JEU   22
Un sport de combat collectif en forme
de gagne-terrain   22
Cadre spatial et temporel   22
Le découpage en « downs » ; les « huddles »   25
Les équipes en présence   26
But du jeu : le marquage des points   27
Les trois types de progression du ballon   28
La grande originalité du FA : le blocage   32
L'équipement   34

LES JOUEURS   40
Les attaquants   42
Hommes de ligne « intérieurs » : C, OG (2) OT (2)   42
Hommes de ligne « extérieurs », les ailiers : TE, SE   44
Les « arrières » offensifs (offensive backs)   44
Les défenseurs   47
Defensive linemen. Hommes de ligne
de défense (DT - DE)   47
L'« arrière-ligne » défensive : les linebackers (MLB, OLB)   47
Defensive backs : DB. Les arrières défensifs (CB, SS, FS)   50
Les unités spéciales   52

▬▬ TECHNIQUES   54

TECHNIQUES COMMUNES À L'ATTAQUE
ET À LA DÉFENSE   56
Les positions de départ   56

TECHNIQUES OFFENSIVES   58
Les blocages   58
Techniques individuelles   59
Techniques collectives de blocages ;
circulation de bloqueurs   60
Les blocages de protection du passeur   60
Les transmissions de balle   61
La transmission du centre à un arrière : le « snap »   61
Les transmissions du QB au RB   63
Le transport du ballon   68
La tenue de la balle pendant le convoyage   68
Quelques techniques d'évitement de plaquage   69
Les feintes   70

TECHNIQUES DÉFENSIVES   71
Les plaquages   71
Technique individuelle   71
Technique collective   76
Technique d'évitement des blocages   78
Frappe et poussée des mains (« hand shiver »)   78
Frappe de l'avant-bras (« forearm shiver »)   78
Les saisies   79
**Le marquage des receveurs
(couverture de passe)**   80

LE JEU AU PIED   82

▬▬ TACTIQUE   85

TRANSCRIPTION ET DÉNOMINATION
DES TACTIQUES   86
Les diagrammes tactiques   86
La dénomination des jeux : les codes   91
Dénomination des jeux offensifs   91
Dénomination des jeux aériens   95

TACTIQUE OFFENSIVE   100

Les grands types de formations offensives 100
Les grands types de jeux 108
Les jeux au sol 108
Les jeux aériens 113
Jeux complexes inhabituels ; jeux à pièges
(« tricky plays ») 119
Le choix tactique offensif 124

TACTIQUE DÉFENSIVE 133
Les formations défensives 133
Les responsabilités défensives 138

LE JEU AU PIED 146

■■■■ ENTRAÎNEMENT 152

LA PRÉPARATION 154
La préparation physique 154
La préparation technique 157
La préparation tactique 160
Une séance type d'entraînement 161

AUTOUR DU MATCH 163
La stratégie 163
Les préliminaires 164
Pendant le match 167

■■■■ ASPECTS MÉDICAUX 170

TRAUMATOLOGIE ET PRÉVENTION 172
L'équipement 173
Classification des accidents 174
Examen préalable à la pratique 175

ASPECTS TRAUMATOLOGIQUES 176
Les articulations 176
Chevilles 179

Genoux 179
Épaules 182
Poignets - mains - doigts 183
Pieds 184
Les manifestations musculaires 187
Le rachis 190
Le strapping 191

LE DOPAGE 195

LE PROBLÈME DES JEUNES 197

■■■■ LES RÈGLES 201

FOOTBALL UNIVERSITAIRE 202
Priorité n° 1 : la sécurité 206
Priorité n° 2 : l'équilibre du jeu et l'intérêt stratégique 210

LES SPÉCIFICITÉS DU FA PROFESSIONNEL
AUX U.S.A. : LE SPORT SPECTACLE 215

LES RÈGLES EUROPÉENNES 216

ORGANISATION DU FA 216
Hors Europe 217
Aux U.S.A. 217
Au Canada 222
Mexique, Japon et autres pays hors d'Europe 222
En Europe 223
En France 224

LES FOOTBALLS PROCHES 228
Football américain et football canadien 228
Les footballs « doux » : le « touch » et le « flag » 229

ANNEXES 232

REMERCIEMENTS

A Joël Desserre, pour ses interventions footballistiques toujours stimulantes, aux joueurs du Spartacus de Paris qui se sont donné la peine de poser pour les photographies, à la boutique Kick Off, pour le prêt de matériel, et, enfin, à Montauban, pour ses encouragements et ses conseils.

ADRESSES UTILES

Fédération française de football américain (F.F.F.A.) : 37, rue La Fayette, 75009 Paris, tél. (1) 42 81 51 02 Nouveaux locaux : 8, rue du Faubourg Montmartre, 75009 Paris.
Président : Jacques Accambray.
Secrétaire générale : Michelle Hayère.
Trésorier : Pierre Riffaud.

Revendeurs de matériel de F.A. :
— magasins spécialisés Promosport France :
Kick Off : 16, av. Claude-Vellefaux, 75010 Paris, tél. (1) 42 41 92 02
American Sport Shop : 10, bd Gambetta, 38000 Grenoble, tél. 76 87 73 09
— magasin spécialiste de hockey sur glace :
La maison du patin : rue des 4-Cheminées, 92100 Boulogne-sur-Seine, tél. 46 21 04 19

DANS LA MÊME COLLECTION

L'école de plongée par l'image
G. Altman et C. Petron

L'escalade
D. Belden

L'alpinisme
P. de Bellefon

Techniques de pêche
P. Boyer

Le tennis
S. Bressan

La chasse
T. Burnand

La philatélie
P. Chauvigny

Le dessin et la peinture
H. Deuil et P. Moran

La spéléologie
B. Dressler et P. Minvielle

Le rugby
G. Duthen et W. Spanghero

Les enfants, l'escalade et la montagne
M. Gratton

Le billard
W. Hoppe

Le kayak de mer
D. Hutchinson

Cinéma super 8 et vidéo légère
M. Karloff

La vidéo
D. Owen et Dunton

La reliure
A. Persuy et S. Évrard

Le chant
J. Pierlot

La plongée
G. Poulet et R. Barincou

Le golf
A.J. Lafaurie et B. Pascassio

Le bridge
J. Le Dentu

Le cyclisme
R. Marillier et C. Guimard

Avoir un chien
Dr F. Méry

Le chat
Dr F. Méry

Hatha Yoga
E. Ruchpaul

Philosophie et pratique du yoga
E. Ruchpaul

La photo
J.L. Sieff et Chenz

Le yoga par l'image
L. Siegel

L'encadrement
L. Sochoux

Maquette : Sté Socofa
Dessins : Marie-Hélène Pons
Reportage photo : Étienne de Malglaive

Achevé d'imprimer en septembre 1988
par Clerc à Saint-Amand-Montrond
Nº d'édition : 2838 - Dépôt légal : novembre 1988